Heks in pyjama

Yvonne van Emmerik

HEKS IN PYJAMA

Met illustraties van
Judith Cruz Ramirez

Uitgeverij
Ten Have

© 2005, Uitgeverij Ten Have
Postbus 5018, 8260 GA Kampen
www.uitgeverijtenhave.nl
Illustraties Judith Cruz Ramirez
Omslag Garage/Peter Slager (BNO)
ISBN 90 259 5594 0
NUR 283

1

Ze zijn op de Katersgracht.

'Bukken!' roept Gijs, 'anders ziet ze je!'

Wietske en Rik hebben een hekel aan Gijs. Toch duiken ze in elkaar. In een van de oude, grijze huizen woont de heks en ze moeten er voorbij. Elke dag weer, want aan het eind van de gracht staat hun school.

De heks woont er nu al een week en dat is griezelig. Sindsdien zakken kinderen al bij nummer 11 door hun knieën of ze buigen diep voorover. Zo proberen ze ongezien onder de vensterbanken van nummer 13 langs te komen.

Je kunt er natuurlijk ook heel hard voorbij rennen, maar sluipen is spannender.

Je zou zeggen: waarom gaan ze niet gewoon aan de overkant lopen?

Dat is onmogelijk. De overkant is ten strengste verboden. Daar is de waterkant en geen stoep. Het water van de gracht is gitzwart, gevaarlijk en het stinkt.

De kleine gespierde Gijs is het eerst voorbij het huis. Hij draait zich om en steekt zijn tong uit. Zijn felle oogjes fonkelen en zijn witte haar staat stoer rechtop. Hij kijkt alsof hij zojuist een draak verslagen heeft. De opschepper!

Rik en Wietske lopen wat langzamer. Ze zijn er veilig voorbij gekomen. Ze kijken om. Soms zie je een gordijn bewegen. Vandaag lijkt alles rustig.

'Pfffft!' Wietske blaast een van haar rode krullen uit haar gezicht. 'Zo, dat hebben we weer gehad.'

Rik hijst met een opgelucht sprongetje zijn schooltas wat hoger op zijn rug en loopt achter zijn zus aan. Wietske is sterk, ze durft bijna alles en zo kijkt ze ook. Maar Wiets is ook al tien en hij moet nog negen worden. Ze heeft net als hij het liefst spijkerbroeken aan en felgekleurde truien. Verder

lijken ze helemaal niet op elkaar. Hij lijkt op zijn vader, alleen is hij is kleiner, dunner en heeft saai bruin haar, vindt hij zelf. Daar is niets van te maken. Zelfs niet met gel.

Het is alweer de derde dag na de grote vakantie. De school staat aan het einde van de gracht. Vierkant, groot en oud. Je zou niet zeggen dat dit gebouw iets met kinderen te maken had. Maar vanbinnen zijn de lokalen en gangen opgeknapt met zonnige verf en helder licht. Door een poort kom je op het binnenplein, waar twee enorme kastanjebomen schaduw geven.

Daaronder doen vreselijke verhalen over de heks de ronde. Iedereen weet wel wat:

'Ze eet levende muizen!'

'Ze trekt kinderen naar binnen. Ja, echt waar! Je loopt langs haar voordeur en dan kan er zomaar een stakerige arm naar buiten komen. Een hand klauwt zich in je bovenarm en tjak! Wég ben je! Verdwenen!'

Waar of niet waar?

Geen mens die het zeker weet.

'Soms stinkt het heel erg rondom haar huis,' zeggen ze.

'Dan is ze zeker griezelige drankjes aan het brouwen,' weet Teun, de vriend van Rik. Die is wel een kop groter maar net zo bang.

'Ze woont niet voor niks op nummer 13. Da's een ongeluks-getal,' zegt er een.

Gijs maakt een vuist. 'Ze moet oprotten.'

'Ik heb wel eens pikzwarte rook uit haar schoorsteen zien komen,' rilt Niki, de vriendin van Wietske. Een beetje lijzig is ze, ook in haar manier van praten. 'Mijn zus heeft haar wel eens zien lopen. Ze loopt altijd naast haar fiets. Zo'n fiets met van die grote tassen.'

Kevin is een van de vrienden van Teun. Hij heeft wel eens vreselijk gelach uit haar huis horen komen. Niet zomaar gewoon lachen, meer een soort schateren. Zó schel dat je er kippenvel van krijgt.

'Ze schijnt ook echt te kunnen toveren,' mompelt iemand.

Dat en nog veel meer wordt er door de kinderen op school verteld over de heks.

Waar of niet waar?

Hun vaders en moeders geloven er niets van.

'Onzin,' zegt de een.

'Kletspraatjes,' vindt de ander.

'Jullie fantasie slaat op hol,' zegt de moeder van Rik en Wietske.

Maar hun ouders hebben de heks nog nooit in levenden lijve gezien.

Die hoeven niet elke dag te voet langs nummer 13.

Ze weten er niets van.

2

Ze wonen in het eerste huis in een rij aan de Tuinstraat. Die doet zijn naam eer aan. Alle huizen hebben tuinen vol bloemen. De ene tuin is nog mooier dan de andere. Papa en mama zijn apetrots op die van hen. Ze werken er om de beurt in.

Ook koken doen ze om de beurt. Papa moet elke dag naar kantoor en mama werkt vier keer in de week in het verpleeghuis.

Papa maakt altijd iets met pasta. Mama vindt aardappelen veel gezonder.

Papa is erg goed in steeds weer nieuwe sausjes, en mama bakt de lekkerste appeltaart van de hele wereld.

Vandaag is het zaterdag en zaterdag is bij hen appeltaartdag.

Het is gezellig in de grote woonkeuken met de lichthouten kasten en kastjes en de ronde tafel in het midden.

Rik en Wietske zitten aan de keukentafel op de loer. Want appeltaart betekent appeltaartdeeg en appeltaartdeeg is lekker.

Als mama eventjes niet kijkt pikken ze een lik. Of een rozijn als dat lukt.

'Hè, nu kom ik boter tekort,' zegt mama opeens korzelig, 'wie wil er even een pakje boter halen?'

Het blijft stil.

'Nou? Zijn jullie doof? Wie?' Ze veegt een rossige haarsliert uit haar gezicht. Mama kijkt Rik aan en dan Wietske. Die kijken op hun beurt elkaar aan. Mama en Wietske hebben dezelfde groene ogen. Als ze boos zijn worden het kattenogen. Die van mam beginnen er al aardig op te lijken. Ze hakt de knoop door: 'Wietske, ga jij?'

Wietske schudt haar krullenkop. 'Ik heb vanmiddag al de tafel gedekt. Rik heeft vandaag nog helemaal niets gedaan en Janine ook niet.'

Janine is hun oudere zus die al op de middelbare school zit. Die is boven aan het leren. Of ze doet alsof. Wedden? Als ze leert hoeft ze niets te doen.

Wietske gaat verder: 'Rik, vooruit, nu ben jij aan de beurt.'

Rik blijft zitten waar hij zit.

'Tja,' zegt mama spijtig, 'dan komt er dit weekend geen appeltaart.'

Nu pakt Rik eindelijk het geld aan. Hij kijkt alsof mama hem heeft gevraagd zonder jas naar de Noordpool te lopen. Mokkend trekt hij zijn jack aan en loopt de achterdeur uit.

De supermarkt is in een zijstraat van de Katersgracht, hij moet langs het huis van de heks! Bij het begin van de gracht begint hij meteen al te hollen. Bij nummer 13 kijkt hij schuin opzij. De gordijnen bewegen! Een zwart kronkelding strijkt gluiperig langs de vaalwitte stof. Een staart! Dan ziet hij in een flits de kat. Gitzwart is ie. Nu weet hij zeker dat daar een heks woont!

Pas in de buurt van de supermarkt durft hij weer gewoon te lopen. Hij is buiten adem.

Een pakje boter heeft hij zo gevonden, maar de rij bij de kassa is lang. En wát een volle karren!

Hij telt hoeveel mensen nog vóór hem zijn: één, twee, drie, vier, vijf, zes, z... Hij voelt al het bloed uit zijn hoofd wegtrekken. Die vrouw in die grijze regenjas! Die rug, die iets gebogen rug, en die benige handen die de boodschappen op de lopende band zetten. Is dat niet...

De gebogen gestalte richt zich op. Hij ziet piekerig kleurloos haar onder een kreukelig hoofddoekje, dat moet van de heks zijn. Het kan niemand anders zijn dan de heks! En de kassa-juffrouw merkt het niet! Ze laat de boodschappen rustig langs de scanner gaan. 'Bliep – bliep – bliep'. Niemand heeft in de gaten dat zich een heks onder de klanten bevindt of toch... De scanner! Die doet opeens 'Bliehiehiehiep! Bliehie-hiehiep!' En de kassajuffrouw snapt niet waarom!

Maar Rik snapt het wel. Hij wringt zich uit de rij en glipt langs een lege kassa naar buiten. Bij de buitendeur begint de alarmbel te rinkelen: er gaat een onbetaald artikel over de drempel. Alsof zijn pakje boter behekst is! Maar hij gaat niet terug, voor nog geen duizend pakjes boter. Hij rent zo hard hij kan.

Met een grote omweg komt hij thuis. Er staan zweetdruppel-tjes op zijn voorhoofd als hij eindelijk in de keuken staat.

'Hèb je de boter?' vraagt mama.

Zonder iets te zeggen steekt hij zijn handen naar voren. In de ene hand ligt het pakje boter, bijna tot moes geknepen. In de andere plakt zweterig het geld.

'Wat heb je nú toch gedaan?' vraagt mama, 'Je hebt het toch

niet zómaar meegenomen? En kijk eens, helemaal kapot, je zit onder de boter!'

Mama moppert door en Wietske heeft dat gemene spotlachje in die kattenogen van haar. Hij zou ze wel dicht willen timmeren, maar slaan is verboden in huize Bergmans.

Mama duwt met een nijdig gebaar de keukenrol in zijn hand. 'Maak schoon,' zegt ze, 'en vandaag nog ga je die boter betalen!'

Ook dat nog! Rik rent naar boven terwijl Wietske grijnst. De deegschaal is straks voor haar. Ze kan hem lekker alleen uitlikken.

3

Rik is al meer dan een uur op zijn kamer. Ze noemen het de 'gele kamer' omdat alles geel is geverfd. Bij Wiets is alles blauw en bij hun zus Janine lila. Hij zit op zijn bed zomaar te zitten en heeft nergens zin in. Zelfs niet in het opengeslagen stripboek op zijn bureau.

Daar hoort hij Wietske naar boven komen. Niemand loopt zo stampend de trap op als zij. Hij zet zich schrap. Ze stormt zijn kamer binnen. Rik kijkt koel en zegt niks, net een ijspegel. Met haar handen op haar rug roept Wietske: 'Ogen dicht, mond open!'

'Ja, ik ben daar gek,' mokt Rik.

'Doe nou!' dringt Wietske aan.

Rik aarzelt: je weet het maar nooit met Wietske, die heeft elke keer wat anders.

'Ik tel tot drie en dan doe je het: één – twee – drie!'

Rik verroert zich niet.

'Hè, flauwerd! Dan eet ik het zelf op.'

'Wat is het dan?'

'Een hondendrol, nou goed? Ik geef je nog één kans: één –
twee – drie!'
Rik doet zijn ogen een beetje dicht en zijn mond een beetje
open. Meteen heeft Wietske er iets zachts in geduwd.
'Yèch! Wat is dat?'
'Proef maar.'
Nu proeft Rik het. Het is een deegballetje. Goh, dat had hij
niet verwacht van haar, ze heeft wat voor hem bewaard. Hij
ontdooit.
'Wat is er nu gebeurd in die winkel? Je keek alsof de heks je
te pakken heeft gehad.'
'Dat wás ook bijna zo.' Rik gebaart met zijn armen. 'Zo rom-
melig zag ze eruit en ze was zo mager als een lat! Ze stond bij
de kassa. Bèrgen kattenvoer kocht ze en alle kassa's sloe-
gen op tilt. Daar schrok ik zo van dat ik de winkel ben uit-
gerend'.
Wietske haalt haar neus op. 'Stom zeg, hád je de kans om
haar eens goed te bekijken, en dan ren je weg! En nu moet je
ook nog die boter gaan betalen.'
Rik gaat verslagen weer zitten. 'Wat moet ik in de super zeggen? Ga je met me mee?'
'Aan m'n hoela! Dat kun je toch zeker wel alleen?' Wietske
loopt naar de deur.
'Hè, toe nou, dan koop ik een lekker spekkie voor je.'
Ze houdt haar pas in en draait zich om. 'Vooruit dan maar.
Laten we dan maar meteen gaan want ik wil om vier uur tv-
kijken.'

Samen lopen ze naar de supermarkt. Op nummer 13 is niets
te zien. Behalve de twee ramen beneden en de twee ramen
boven met beige gordijnen ervoor. En een afgebladderde
voordeur met een klein raampje erin en een brievenklep daaronder. Voor het raampje zitten tralies. De deur ziet eruit alsof

hij nooit opengaat. Toch lopen ze weer gebukt tot het volgende huis.

Even later staan ze in de supermarkt.

'Haal eerst dat spekkie maar,' zegt Wietske, 'dan gaan we naar de kassa en vertellen het van die boter.'

Het is nog steeds druk bij de kassa. Uren duurt het, volgens Wietske. Ze wiebelt ongeduldig van het ene been op het andere, terwijl ze lelijk naar de volle boodschappenwagens kijkt.

Eindelijk kan het spekje op de lopende band. Het reist in z'n eentje naar de kassajuffrouw. Die zit ongeduldig te wachten. Haar schort zit als een harnas om haar heen. Ze veegt vinnig een ontsnapte krul uit haar gezicht.

'Tien eurocent,' zegt ze, als het eindelijk is gearriveerd.

'Ik moet ook nog de boter van vanmorgen betalen,' zegt Rik. Hij krijgt een kop als vuur.

'Hoezo van vanmorgen?' zegt de kassajuf pinnig.

'Ik was per ongeluk zonder te betalen doorgelopen.'

'O, was jíj dat? Dat is knap brutaal zeg!'

Rik wordt nog roder dan daarnet. Er staat een hele rij meeluisterende klanten achter hem.

Wietske helpt hem van de wal in de sloot: 'Dat kwam omdat er een heks in de winkel was!'

De kassajuf lacht met haar mond dicht. Het klinkt als een remmende locomotief. 'Een heks! Die is goed! Ik ben te oud voor sprookjes, jongedame, je moet wat beters verzinnen.'

'Het ís niet verzonnen, het is echt,' zegt Rik zachtjes.

De kassière richt zich tot de klanten: 'Heeft iemand van u vandaag een heks in de zaak gezien?' zegt ze smalend.

Het kreng. Alle mensen moeten lachen.

Wietske zegt in Riks oor: 'Betaal nu maar. Ze willen het toch niet snappen. Waar is het geld?'

Ze grist het geld uit Riks hand, legt het op de kassa en snauwt: 'Laat de rest maar zitten.'

Dan pakt ze Rik bij z'n arm en trekt hem mee de zaak uit. 'Stom mens!' stoot ze uit. Ze heeft nu net zo'n rood hoofd als Rik. Boos benen ze de winkel uit.

4

Mokkend lopen ze terug naar huis.
'Weet je,' zegt Wietske halverwege, 'het duurt heel lang voordat de appeltaart is afgekoeld. Ik zou wel eens wat meer van die heks willen weten. Zullen we stiekem gaan kijken?'
Rik blijft midden op de stoep staan. 'Ben je gek joh, ikke niet!'
'Ik wel,' zegt Wietske, 'ik weet een paadje dat achter de huizen van de gracht loopt. Daar kunnen we aan de achterkant van de huizen kijken.'
'Jij bent écht hartstikke gek!' stoot Rik uit, 'Misschien komt ze wel naar buiten!'
'Misschien ook niet. We kunnen toch keihard wegrennen als het nodig is?'
Rik griezelt alleen al bij het idee. 'Ik dacht dat je om vier uur tv wilde kijken?' probeert hij nog.
'Dit is veel spannender. Maar als je niet durft, dan ga ik wel alleen.'
Dat vindt Rik te erg. 'Goed dan, ik ga mee.'
Wietske is al weg. Onwillig slentert hij achter haar aan. Ze schiet een poort in. Het loopt naast het eerste huis voorbij de zijstraat van de gracht. Aan het eind gaat het pad rechts de hoek om. Nu zijn ze aan de achterkant van de grachtenhuizen. Aan die kant zijn lange tuinen afgezet met schuttingen. Wietske telt. 'Het moet het vijfde huis van de hoek zijn,' zegt ze.

'Hoe weet je dat?' fluistert Rik.

'Omdat het huis naast de poort nummer 21 is.'

Zo! Die Wiets denkt ook overal aan. Ze weet altijd alles beter. Dat kan Rik soms niet uitstaan. Ze is minder dan twee jaar ouder dan hij.

Wietske begint te sluipen. Ze kijkt achterom. 'Kom je nog?' Aarzelend volgt hij.

'Hier moet het zijn,' zegt ze zachtjes.

Ze staan bij een vervallen schutting. Eens moet hij donker-groen geweest zijn. Er zitten kieren genoeg in, ook op oog-hoogte. Ze drukken hun neus tegen het muf ruikende hout en gluren.

De tuin van de heks staat vol bomen en struikgewas. Onder de bomen hangt een groenig schijnsel. Tussen de takken tin-geltangelt het. Overal hangen windorgeltjes. Tegen de verval-len schuur staat een scheefgezakte bank.

'Kijk, daar staat haar fiets!' sist Wietske. Rik tuurt tussen de bomen door. Nu ziet hij hem ook. De fiets staat op de stan-daard op een betegeld plaatsje, vlak voor de openslaande deuren. Zo te zien zijn die nog in geen honderd jaar open geweest. Ook hiervoor hangen dezelfde beige gordijnen als aan de voorkant.

Op de achterplaats staan wel drie vuilnisbakken en een paar voerbakjes. Rik vraagt zich af wat een heks wel voor vuilnis zal hebben. Drie bakken is wel veel voor één persoon. Er gaat een schok door hem heen. De achterdeur gaat open. Woest stompt hij met zijn elleboog in Wietskes zij. Die piept van de pijn en kijkt hem vernietigend aan. Met zijn ogen dwingt hij haar weer door de kier te kijken.

De deur gaat verder open. Lijkt het maar zo of is het écht dat de bomen beginnen te ruisen en het getingel aanzwelt? Daar staat ze in de deuropening.

De heks!

Een wijd huishoudschort met lange mouwen hangt om haar mager lijf. Dunne enkels steken in grote veterschoenen. Haar haren zitten in een warrige knoop bovenop haar hoofd. Als dát geen heks is!

Van achteren gezien lijkt ze een heel klein beetje op de heks van Hans en Grietje uit hun boek. Rik rilt en het voelt alsof er een voetbal in zijn maag zit.

De heks doet een stap naar buiten. Opeens is er overal gefladder en onrust tussen de takken van de bomen. Van alle kanten komen vogels aanvliegen: duiven, kraaien, spreeuwen, merels en zelfs een roodborstje! Zoveel vogels hebben ze nog nooit in één tuin bij elkaar gezien. Er gaat een duif op haar hoofd zitten en kijk, de grootste kraai van allemaal gaat op een lage tak boven haar zitten.

Zij graait in haar schortzak. Hándenvol vogelvoer strooit ze en de kraai en de duif eten om de beurt uit haar hand.

Dan schudt de heks de laatste kruimels uit haar schort. Opeens heft ze haar hoofd op en kijkt in de richting van de schutting. Rik en Wietske deinzen achteruit. Een ogenblik lijkt het of ze hen recht aankijkt met ogen die zó lichtblauw zijn dat ze doorschijnend lijken. Je zou zweren dat ze dwars door de schutting heen keek.

Ze zetten het op een lopen.

5

De appeltaartgeur komt hen tegemoet. Ze stormen de keuken binnen en vallen hijgend op een stoel.

'Wat is er gebeurd? Heeft de kassajuffrouw jullie achterna gezeten?' grapt mama. Maar ze vertellen niets. Mama zal hen vast gaan uitfoeteren omdat ze de heks begluurd hebben, en

daarna zal ze hen vierkant uitlachen, omdat ze niet in heksen gelooft.

Ze moeten helemaal tot maandag wachten, tot ze iemand kunnen vertellen wat ze gezien hebben. Ze hebben nog nooit zo naar het begin van de schoolweek uitgekeken.

Al gauw staat er een opgewonden groepje om hen heen. Ze worden bekogeld met vragen.

'Hebben jullie écht haar achtertuin gezien?'

'Was het eng?'

'Heeft ze nog getoverd of zo?'

'Zag ze jullie?'

'Ze keek dwars door de schutting heen,' zegt Rik en hij rilt nadrukkelijk.

'En toen? Deed ze iets?' vraagt Teun.

'Daar hebben we natuurlijk niet op gewacht.' Rik snuift verontwaardigd. 'We zijn er vandoor gegaan. Wie weet wat ze anders gedaan zou hebben.'

'M'n benen leken wel van zachte drop, zo erg was ik geschrokken,' voegt Wietske eraan toe.

'Ze had wel ik-weet-niet-wat kunnen doen,' zegt Teun onheilspellend.

Gijs maakt het helemáál spannend: 'Ze had je wel in de diepvries kunnen stoppen om jullie stukje bij beetje op te eten.'

Die Gijs, hoe verzint ie het. Ze lachen hem onzeker uit. Maar vanbinnen denken ze: 'Je weet maar nooit.'

Juf Katrien roept hen de klas in. Haar grijsblonde haar zit piekerig vandaag. Ze is niet in haar hum, dat zie je zo. Met haar ogen dwingt ze iedereen naar zijn plaats.

Gijs probeert achter zijn hand iets tegen Teun te zeggen.

'Gijs! Ik waarschuw je voor de eerste en laatste keer!' Bits schalt jufs stem door de klas.

Het wordt op slag rustig. Juf Katrien is eigenlijk best aardig, behalve op maandagmorgen. Dan kan ze niet veel hebben en kun je je beter gedeisd houden. De rest van de week valt ze wel mee.

De volgende ochtend raapt Rik de krant van de mat. Hij loopt al lezend de kamer in. Wat staat daar met zwarte vette letters en dikke uitroeptekens?

GEVEL VAN GRACHTENHUIS BESMEURD MET EIEREN EN ROTTE TOMATEN!
Katersgracht, 25 augustus. Onbekenden hebben de gevel van een huis aan de Katersgracht besmeurd en beklad met leuzen. Bewoonster hevig ontdaan.
De politie tast in het duister omtrent de dader(s).
Het motief is mogelijk af te leiden uit de aard van de leuzen.

Er staat een grote foto bij. Je kunt er duidelijk op zien dat het nummer 13 is. De voorkant en de ramen zijn bezaaid met vieze flatsen. Daar overheen staat met schreeuwende witte hanenpoten: '*VUILE HEKS, ROT OP!*'
'Net goed,' zegt Rik.
'Maar Rik toch!' zegt mama verontwaardigd, 'dat is toch vreselijk! Verbeeld je dat ze zoiets met ons huis zouden uithalen!'
'Hier wonen geen heksen.'
'Houd toch eens op over heksen,' bromt papa vanachter de sportpagina, 'heksen bestaan niet.'
Met een ruk kijkt Rik op van de krant. 'Heksen bestaan wél, ik heb haar zelf gezien.'
'En ik ook,' zegt Wietske.
Janine gooit haar lange haar naar achteren en barst in lachen uit. 'Wat zijn jullie toch nog kleuters!' Ze trekt nuffig haar

19

neus op terwijl ze een kom met cornflakes vult. Rik vindt haar net een barbiepop.

'Wie zou zoiets kunnen doen?' zucht mama. Papa vouwt de krant op. 'Het zijn vandalen.' Hij staat op om naar zijn werk te gaan. 'Hopelijk houdt het snel op.' Al lopend trekt hij zijn geruite colbertje aan. Dan geeft hij ze allemaal een zoen en mama twee.

Maar het houdt niet op. Bijna elke dag van die week kleven er weer nieuwe vlekken tegen de ramen en op de muur van nummer 13. Het is het gesprek van de dag.

'Wie doet er nou zoiets, WIE?' vraagt Riks moeder zich bij de bakker hardop af.

'Het is natuurlijk niet goed te praten wat ze doen, maar ze heeft wel iets eigenaardigs, dat mens van nummer 13,' zegt de buurvrouw van schuin tegenover die ook staat te wachten.

'Maar ze heeft toch niemand kwaad gedaan?' zegt hun moeder weer.

De buurvrouw kijkt bedenkelijk. 'Nee, nog niet. Toch is het niet een normaal persoon zoals jij en ik.'

De bakkersvrouw doet brood in een zak. 'Wat heet normaal? Normaal of niet, je gaat toch niet zomaar iemands huis bekladden? Zoiets dóet een volwassen, verstandig mens niet... zouden het...'

'Kinderen?' zegt de buurvrouw terwijl ze het brood aanpakt, 'denk jij dat kinderen het gedaan hebben?'

'Nou nee, eh ja, misschien. Ik weet het niet.'

En wat zeggen de kinderen?
Op de speelplaats schallen opgewonden kinderstemmen:
'Wat erg hè, van dat huis. Het zit hartstikke vol troep!' zegt Niki. Haar bolle wangen hebben een kleur.

Teun peutert hartgrondig in zijn neus. 'Moet ze daar maar niet gaan wonen.'

Niki kijkt hem vies aan. 'Gaat het lekker, viezerik?' en dan: 'Ze moet toch érgens wonen?'

'Maar niet zomaar in een gewone straat,' zegt Gijs met zijn kop in de wind.

Wietske kijkt met een frons tussen haar ogen naar de jongens. 'Wie zou het gedaan hebben?'

'Weet ík veel! Ik in elk geval niet.' Verontwaardigd draait Teun zich om.

'Ikke ook niet,' zegt Rik en loopt achter hem aan.

Wietske kijkt nog steeds de kring rond. 'Zou...'

Gijs valt haar in de rede 'Ik zeg niks. Ik weet niks.'

6

Ze zijn klaar met voetballen. Alle kinderen gaan naar huis. Het weer is broeierig.

Rik en Wietske zitten naast elkaar op het muurtje van hun huis in de Tuinstraat. Voor de hele rij huizen staan dezelfde lage muurtjes. Als je durft, kun je er overheen lopen. Bij de doorgangen naar de voordeuren moet je springen. De kinderen uit de buurt gebruiken het muurtje bij het huis van Rik en Wietske als bank om uit te hijgen na het spelen. Of om bij te kletsen.

'Heb jij het soms tóch gedaan, of een van je vriendjes?' vraagt Wietske onzeker.

Rik staat verontwaardigd op. 'Nee, natuurlijk niet! Hoe moet ik trouwens aan al die eieren en tomaten komen?'

Wietske staat ook op. 'Wie zou het dán gedaan hebben?'

'Geen idee.'

'Gijs misschien?'

''k Wee-nie.'
'Bij Gijs hebben ze een groentewinkel.'
'Nou èn?'
Wietske kijkt veelbetekenend.
Het blijft een tijdje stil.
Dan vraagt Wietske: 'Heb jij die heks nog een keer gezien?'
Rik schudt van 'nee'.
'Zou ze thuis zijn?'
Rik haalt zijn schouders op en zijn wenkbrauwen ook. 'Hoe kan ik dat nu weten!'
'Zullen we nog eens gaan kijken?'
'Dúrf jij dat nog? Misschien is ze wel hartstikke kwaad en pakt ze ons.'
'We kunnen toch sluipen?'
Rik begint heen en weer te lopen met zijn handen in zijn zakken. 'Bedoel je vandáág nog?'
'Ja, waarom niet?' Wietske springt bovenop het muurtje. Ze torent hoog boven hem uit.
'Het wordt al hartstikke donker,' aarzelt Rik, 'straks krijgen we een bui. Misschien wel onweer.'
'Dat is juist goed joh, dan ziet ze ons niet. Kom mee!' Ze springt op de grond en loopt in de richting van de Katersgracht.
'Maar we moeten zo eten,' probeert Rik nog.
'Dan zijn we allang terug.' Wietske zet er flink de pas in. Rik vermant zich en loopt op een afstandje achter haar aan. De wolken boven hun hoofd worden steeds donkerder.
Het pad achter de huizen aan de gracht is schemerig. Ongemerkt komen ze bij de oude schutting van de heks. Ze gluren om de beurt door het gaatje. Er schijnt een flauw licht door de gordijnen. Verder is er niets te zien.
'Zullen we de tuin in gaan?' fluistert Wietske. Er ritselt iets in het struikgewas. Rik pakt haar vast. 'Nee joh! Als ze naar buiten komt...'

'Dan ren ik toch zo weer weg.' Wietske voelt of de poortdeur los is. Er zit beweging in. 'Kom mee!' zegt ze dwingend.

'Nee, dankjewel, ikke niet.'

'Dan ga ik alleen.' Ze duwt de deur een stukje open en schuift naar binnen. Ze loopt een spinnenweb kapot. Ongeduldig veegt ze de kleverige draden van haar gezicht.

Er hangt een donkere wolk recht boven het huis. Rik denkt: 'Er moet toch iemand op de uitkijk staan.' Hij kan Wietske nauwelijks zien. Af en toe licht haar gele jack iets op. Hij hoort hoe ze tegen een van de voederbakjes aan loopt. Er fladderen een paar vogels op.

Rik houdt zijn adem in. Straks heeft de heks het ook gehoord! Ongerust tuurt hij de tuin in. De gele vlek, die Wietske moet zijn, beweegt niet meer. Het duurt eindeloos. Dan gaat de schim langzaam in de richting van het huis. Tussen de gordijnen van de tuindeuren zit een kleine kier. Daar ziet hij Wietske heenlopen. De kier verdwijnt uit het zicht. Wietske staat ervóór. Ze bukt iets voorover. Zeker om naar binnen te kijken. Zou ze wat kunnen zien? Rik kan zijn eigen hart horen bonken. Opeens schiet de gele schaduw overeind en draait zich razendsnel om. Er rinkelen potjes en bakjes over de vloer. Wietske rent alsof ze door iets op de hielen wordt gezeten. Ze maakt vreselijk lawaai.

'Sssst joh!' sist Rik.

'Wèg hier, meteen!' bijt Wietske hem toe. Ze trekt hem bij zijn arm mee.

Samen rennen ze de poort uit naar de straat. Pas daar blijft ze hijgend staan. Rik kijkt haar angstig vragend aan. Ze ziet spierwit en haar ogen zijn wijd opengesperd.

'Wat is er? wat heb je gezien?'

'Ze-ze...'

'Wát nou?'

'Ze liep langs de muur omhoog, net als een vlieg! En toen

zomaar tegen het plafond, ondersteboven.'
'Je bent gek, dat kán niet.'
'Ik heb het toch zeker zelf gezien! En die kat van d'r, dat enge
zwarte beest, liep zomaar achter haar aan!'
'Je hebt het gedroomd.'
'Liep ik te slaapwandelen dan?' schreeuwt Wietske met haar
ogen nog steeds wijd open.
Rik staart haar alleen maar aan.
'Nou?' Ongeduldig geeft Wietske hem een por.
'Nee, nee dat niet. Je bent helemaal wakker.'
'Dus dan was het echt.'
Hij weet hier niets anders op te zeggen dan: 'Laten we maar
naar huis gaan.'
Dat doen ze.
De eerste regendruppels vallen.

7

Zie je nou wel? Ze zijn te laat voor het avondeten. Rik hád
het gezegd!
Papa, mama en Janine zitten al aan tafel. Rik en Wietske
schuiven hijgend aan.
'We zijn maar vast begonnen,' zegt mama effen.
Met gebogen hoofden loeren ze naar haar. Zou dat alles
zijn?
Nee. Daar blijft het niet bij: 'Waar hebben jullie gezeten?'
Tja… waar hebben ze gezeten…, dat kunnen ze maar beter
niet vertellen.
Het blijft stil.
Nu bemoeit papa zich ermee: 'Waarom zijn jullie zo laat?'
Rik en Wietske halen hun schouders op.
'Kómt er nog wat?' Papa's stem wordt hard.

24

'Als jullie niets zeggen wordt er vanavond géén tv gekeken,' snibt mama.

Rik haalt diep adem. 'We waren bij het huis van de heks. Au!' Hij krijgt onder de tafel een keiharde schop van Wietske. Maar het is al te laat. Er komt een frons boven papa's ogen. 'Wat moesten jullie daar?'

'Gewoon, kijken,' zegt Rik.

Wietske heeft nog steeds niets gezegd. Ze kijkt Rik vernietigend aan.

'Jullie hebben toch niet iets met dat tomatengooien te maken, hoop ik?' vraagt mama ontzet.

Wietske en Rik schieten recht. 'Nee, natuurlijk niet!'

Mama ontspant zich. 'Wat hadden jullie daar dan te zoeken?'

'Gewoon, kijken,' zegt Wietske nu ook.

'Gluren zal je bedoelen,' gniffelt Janine.

Wietske gromt: 'Bemoei je er niet mee.'

'Wietske heeft iets heel engs gezien. Au!' zegt Rik. Daar heeft hij alweer een schop te pakken.

Janine leunt nieuwsgierig naar voren. 'Wat dan?'

Vóór Wietske hem kan tegenhouden heeft Rik het gezegd: 'Ze loopt tegen de muren op!'

'Watte?'

'Ze loopt tegen de muren op en tegen het plafond. De kat ook.'

'Onzin,' zegt mama terwijl ze een schaal van tafel pakt.

'Jullie zien ze vliegen,' schampert Janine.

Nu kan Wietske zich niet langer inhouden: 'Ik heb het toch zeker zélf gezien! Ze liep zomaar langs de muur naar boven en toen ging ze verder langs het plafond.'

'Wietske, kindje, je fantasie slaat op hol. Zoiets kán toch helemaal niet?' Mama kijkt ongerust.

'Een vlieg kan het toch ook? Waarom een heks niet?'

Mama zet de borden in elkaar. 'Houd toch eens op met dat

25

heksengedoe. Heksen bestaan niet. Moet je nu eens zien wat er van komt, van al dat geklets. Het arme mens durft haar huis niet meer uit! Ik wil er niets meer over horen.' Met een nijdig gebaar zet ze de schaaltjes voor het toetje op tafel en dan de chocoladevla. Die wordt in stilte opgegeten. Ieder heeft zo zijn eigen gedachten. Wietske werpt een valse blik naar Rik. Hij weet precies wat ze hem wil overseinen: 'Stom joch dat je bent. Had je mond gehouden!'

In de verte begint het te onweren.

Het onweer is gelukkig niet dichterbij gekomen. Toch kan Rik niet in slaap komen die avond. Hij staart naar de geruite gordijnen. Het licht van de straatlantaarn schijnt er zwakjes doorheen. Hij kan vaag de omtrekken van zijn vertrouwde kamer zien en zijn bureautje met de houten stoel ervoor. Zijn zelfgebouwde vliegtuig staat hoog bovenop de kleerkast. Als hij door zijn oogwimpers kijkt, zou het een heks op een bezemsteel kunnen zijn. Hè, laat hij er nu over ophouden. Zo kan hij nooit slapen...

Als hij dan eindelijk slaapt, schrikt hij wakker van geschreeuw. Het komt uit de kamer van Wietske en het gaat over in gejammer.

Daar hoort hij de slaapkamerdeur van zijn ouders en de sussende bromstem van papa.

Wietske heeft natuurlijk over de heks gedroomd. 'Huh, overdag doet ze zo stoer,' denkt Rik, 'ze is meestal niet zo bang uitgevallen. Het is vast heel erg griezelig geweest wat ze gezien heeft. Anders is ze nu niet zo van streek.'

'Zullen we haar een aspirientje geven?' hoort hij mama zeggen.

'Nee, doe dat maar niet,' antwoordt papa, 'ze is niet ziek. Ze heeft alleen naar gedroomd. Ze moet die onzin uit haar hoofd zetten, dat is het. Heksen bestaan niet, hoor je het goed Wietske? Heksen bestaan niet!'

'Dat kan hij wel zeggen,' denkt Rik, 'maar híj heeft haar niet gezien!'

Rik gaat liever niet op zijn zij liggen, dan kan hij de kamerdeur niet zien. Je weet nooit wie er in het donker binnenkomt. Hij trekt de dekens tot zijn kin.

8

Wat is nou gevaarlijker: het donkere water van de gracht of de heks die enge dingen doet?

Vandaag durven ze niet langs het huis van de heks. Ze lopen aan de overkant, waar de diepe gracht is en geen stoep.

Vroeger waren ze veel banger voor dat troebele water. Er werd gezegd dat daar een inktvis in huisde. Als je te dicht bij de waterkant kwam, kon die opeens opduiken en je met grote zwarte vangarmen naar de diepte trekken. Maar dat geloofden ze al lang niet meer. Dat werd alleen gezegd tegen kleine kinderen. Zo hielden de grote mensen hen van het water weg. Rik en Wietske hebben al twee zwemdiploma's. Toch kijkt Rik af en toe stiekem naar de donkere gracht aan zijn linkerhand. Het water is bijna zwart en het stinkt. Hier en daar borrelen luchtbelletjes op. Toch enger dan hij dacht, die gracht. Hij gaat wat dichter bij Wietske lopen. Die beent met grote passen langs de kade. Ze kijkt niet naar de diepte naast haar. Ze heeft meer oog voor nummer 13 aan de overkant. Niets te zien daar, alleen nog wat plekken die op de gevel zijn achtergebleven van gisteren.

Op school kan Rik het niet voor zich houden. Zodra hij Teun en Kevin ziet barst hij los:

'Wietske en ik zijn bij het huis van de heks geweest. Het was heel griezelig. Ze loopt tegen de muur op en ze wandelt ondersteboven langs het plafond.'

Kevins blonde kop schiet omhoog. 'Dat meen je niet! Echt waar?' Hij staart Rik aan. Grote sterke Teun duwt Rik bijna omver als hij hem een por tegen zijn schouder geeft. 'Je kletst maar wat. Ben je daar echt geweest?'

'Ja, met z'n tweeën, Wiets en ik. En Wiets heeft het gezien. Ze schrok zich rot en toen zijn we hard naar huis gerend.'

'Die heks liep zomaar langs de muur omhoog?' Teun kan het nog niet geloven.

'Ja, net als een vlieg. En de kat liep achter haar aan.'

'Tssssjj..' klinkt het uit twee monden.

De zoemer gaat. Ze moeten naar binnen. Al in de gang gaat het verhaal van mond tot mond:

'Die heks van nummer 13 kan tegen de muur oplopen!'

'En d'r kat ook!'

'Ja, en er is ook nog iets met een vlieg. Ze zeggen dat er ook een supergrote vlieg langs het plafond loopt.'

'Echt, monstergroot! Ik geloof wel net zo groot als die kat.'

'Als ze je vangt plakt ze jou ook tegen het plafond.'

'Wie zegt dat?'

'Dat zei Gijs.'

'Misschien hééft ze al kinderen vastgeplakt.'

'Dat heeft Wietske niet gezien.'

'Misschien heeft ze hen wel achter het behang geplakt.'

'Zou dat echt waar zijn?'

'Zou kunnen...'

In de klas gaat het verhaal verder. Juf Katrien heeft al drie keer in de handen geklapt. Nu staat ze doodstil de klas in te kijken. Meestal helpt dat en worden ze vanzelf rustig. Maar vandaag zien ze haar niet staan.

Opeens verheft ze haar stem. 'STILTE!!!' Als een kanonschot knalt het de klas in.

Ze schieten als één man recht.

'Ik hoop dat jullie het niet erg vinden dat ik even stoor,' zegt ze nu poeslief, 'ik wou graag met de les beginnen.'

Gijs wil toch nog even gauw wat tegen Teun zeggen. Hij fluistert achter zijn hand. Maar de juf ziet alles.

'Gijs! Jij hebt blijkbaar nog iets heel belangrijks te zeggen. Dat willen we allemáál wel horen. Vertel eens?'

Gijs krijgt een rode kop en zwijgt.

'Vooruit Gijs, laat eens horen? Wat was er belangrijker dan wat ík wilde zeggen?'

'Eh... 't was over die heks op nummer 13. Ze doet hele rare dingen.'

'O ja? En wat dan wel?'

'Ze loopt ondersteboven. Ze heeft grote zwarte vliegen als huisdieren, net zo groot als d'r kat en ze plakt kinderen achter het behang.' Met dramatische ogen kijkt hij juf aan.

De juf schrikt niet. 'Tjonge jonge,' zegt ze, 'en dat zuig je nu allemaal even uit je duim?'

'Nee juf, het is écht.'

'En hoe weet je dat dan?'

'Rik z'n zus heeft het zelf gezien.'

Nu kijkt juf indringend naar Rik. 'Dat zusje van jou moet maar sprookjesschrijfster worden. Die heeft een hele grote fantasie. Nu vergeten we al die onzin en gaan aan het werk.'

Rik zegt niets meer. 'Grote mensen willen toch niet horen wat ze niet snappen.'

Hij wroet zich door de lange dag heen.

Na school ziet hij Wietske. Ze staat midden in een kring van opgewonden kinderen.

Hij gaat maar vast alleen naar huis. Met een grote omweg.

Die nacht slapen ze allebei nog onrustiger dan de vorige.

De volgende dag zit het huis van de heks vol verse rode klodders.

Niemand weet wie het gedaan heeft.

9

Mama weet dat ze aan de verkeerde kant van de gracht gelopen hebben. Iemand moet geklikt hebben. Ze zegt niet wie.

'Laat ik het niet meer merken,' zegt ze, 'dan zwaait er wat. Enne... Rik, ik heb een klusje voor je.' Rik moet voor mama een brief posten. Het postkantoor staat nog verder dan de school. Hij moet weer langs nummer 13, of hij wil of niet.

Het is warm voor de tijd van het jaar. Hij loopt met open jas en nog kleeft zijn bloes tegen zijn rug. In elkaar gedoken loopt hij langs het huis. De brievenbusklep staat een beetje open, er steekt een krant in. Dezelfde krant als zij hebben, ziet hij gauw. Dan hoort hij het geluid. Het komt uit het huis. Een klagelijk gejammer: 'Help, hélp me dan toch, hèhèlp!'

Hij gelooft zijn oren niet. Riep daar iemand om hulp? Zou ze iemand te pakken hebben? Nee toch zeker! Het klonk wel heel erg angstig. Zal hij nog es teruggaan? Eén keertje dan. Hij draait zich om en loopt weer langs het huis. Ja, hij hoort het goed:

'Help! Help me alsjeblieft!' Hij luistert nog eens goed en hoort het weer. Geschrokken zet hij het op een lopen, in één ren naar het postkantoor. De brief in zijn hand is helemaal tot kreukels geknepen. Hij strijkt hem zo glad mogelijk en stopt hem in de brievenbus.

Nu hoeft hij er nog maar één keer langs. Weer hoort hij het geluid. Wat zwakker nu, maar toch nog duidelijk te horen. Rik denkt hard na onder het lopen: Wat zal hij doen? De politie waarschuwen? Zijn ouders? Maar die geloven hem toch niet. Hij zal met Wietske overleggen, die weet meestal wel wat ze moet doen.

Ze is in de zitkamer en ligt languit op de leren bank voor de tv.

'Wiets..'

'...'

'Wietske!'

'...'

Hij gaat voor de tv staan. Wietske vliegt overeind. 'Ga opzij!'

'Luister nou Wietske, het is héél belangrijk: er klinkt hulpgeroep uit het huis van de heks.'

'Watte?'

'Er kwam geluid uit het huis van de heks. "Help-help" of zoiets.'

'Je verzint het toch niet hè?'

'Nee, echt niet. Op de heenweg hoorde ik het al en op de terugweg nog steeds, maar dan zachter.'

Wietske heeft geen oog meer voor de tv. Ze kijkt zorgelijk. 'Wat zou er zijn, zou ze iemand gevangen hebben?'

'Dan moeten we de politie waarschuwen.'

Wietske doet de tv uit. 'Nee, dat nog even niet. Laten we eerst nog eens gaan luisteren.'

'Durf je dat nog na gisteren?'

'We blijven aan de voorkant. Iedereen kan het zien als ze ons naar binnen trekt. Kom mee!'

Rik voelt een rilling over zijn rug lopen. Toch gaat hij achter zijn zus aan. Een paar meter voor nummer 13 blijven ze staan. Rik trekt Wietske aan haar arm. 'Hoor jij het ook?'

'Ssst!' sist Wietske, 'hoe kan ik nou iets horen als jij erdoorheen kletst?'

Ze houden hun adem in. Dan horen ze het. Het is een zacht geweeklaag en het komt vanachter de voordeur.

'Het is geen kinderstem,' stelt Wietske vast.

'Wat is het dan?'

'Het is een vrouwenstem.'

'Ik dacht dat ze alleen maar kinderen pakte,' huivert Rik.

'Weet je wat ík denk?' fluistert Wietske, 'Ik denk dat het de heks zelf is.'

'Joh! Hoe kan dat?'

'Er is iets mis met de heks. Ik denk dat er iets met haar gebeurd is.'

'Durf jij door de brievenbus te kijken?'

Wietske bijt op haar lip en bekijkt de koperen klep. De krant steekt er nog uit. Ze wacht zeker wel tien tellen. Dan trekt ze opeens haar schouders recht.

'Waarom zou ik niet durven kijken?' zegt ze stoer.

Ze bukt zich en duwt met één vinger de krant wat opzij. Ze kan er net langs kijken.

Rik kijkt gespannen toe. Wietske blijft een hele tijd zo gebukt staan en loert naar binnen. Dan draait ze zich langzaam om en fluistert iets:

'Watte?' zegt Rik iets te hard.

'Sssst! Stommerik! Niet zo hard! Het *is* de heks. Ze ligt op de grond in de gang. Ik denk dat ze van het plafond gevallen is.'

'Net goed,' zegt Rik.

Wietske schokschoudert. ''k Weenie,' zegt ze, 'misschien heeft ze iets gebroken, want ze kan niet opstaan.'

'Nou, dat is toch juist goed? Kan ze ook niks meer doen.'

''k Weenie,' zegt Wietske weer, 'misschien ligt ze daar al heel lang zo. Ik weet óók niet wat we ermee moeten.'

Ze lopen langzaam terug naar huis.

Ergens in het huis aan de gracht miauwt de kat klagelijk.

10

Het is papa's kookbeurt. Ze krijgen hun lievelingskostje: spaghetti.

'Niet dat jullie het vandaag verdiend hebben,' zegt mama, terwijl ze de schaal op tafel zet.

Ze lijkt nog steeds een beetje boos. Dat is natuurlijk nog omdat ze langs het water gelopen hebben vanmorgen.

Rik kijkt schuin omhoog hoe haar gezicht staat. Ze geeft net een knipoog aan papa. Haar lippen krullen in een lachje. Rik zucht van verlichting. Het is hen al vergeven, ze maakte gewoon een grapje.

Hij roert in de spaghettislierten. Wietske doet hetzelfde terwijl haar ogen in de verte staren.

'Hee, wat krijgen we nou?' zegt papa, 'lusten jullie opeens geen spaghetti meer? Jullie zijn toch niet ziek?'

Wietske draait een flinke kluit om haar lepel. 'Nee hoor,' zegt ze en propt haar mond vol.

Rik doet nu ook zijn best. Gek, hij heeft helemaal geen honger. Hij moet steeds aan de-heks-die-op-de-grond-ligt denken. Papa en mama weten niet hoe ze het hebben. 'Hebben jullie wéér iets uitgevreten?' vraagt papa.

'Nee, helemaal niet,' klinkt het uit twee volle monden.

'Hebben jullie buikpijn?'

Ze schudden van nee.

'Dan snap ik het niet,' zegt mama, 'het is elke keer wat anders met jullie.'

Janine haalt haar neus op. 'Het zijn kleuters,' zegt ze, 'dát zijn het.' Ze schraapt haar bord leeg en vraagt om meer.

Mam zegt: 'Tja, dan zullen jullie het toetje ook niet lusten, vrees ik.'

'Het is ijs!' zegt papa triomfantelijk, 'met heel veel gekleurde korreltjes.'

Ze wurgen zich door de spaghetti heen. Het ijs glijdt vanzelf naar binnen.

'Mogen we nog even naar buiten, mam?' vraagt Wietske.

'Zouden jullie dat nu wel doen,' aarzelt mama, 'ik ben bang dat jullie iets onder de leden hebben.'

'Nee mam, écht niet!'

'Laat hen maar even,' zegt papa, 'de buitenlucht zal hen goed doen.'

Opgelucht maken ze dat ze weg komen. Op het muurtje voor het huis houden ze vergadering.

'Wat zullen we doen?' vraagt Wietske.

Rik schopt met zijn voeten tegen het muurtje. 'Weet ík veel!'

'Als we niks doen, gaat ze misschien wel dood.'

'Dan hoeven we lekker nooit meer bang te zijn,' snuift Rik.

Wietske oppert: 'Zullen we naar de politie gaan?'

Rik haalt z'n schouders op. 'Grote mensen geloven tóch niet wat we zeggen.'

'Maar je kunt iemand toch niet zomaar dood laten gaan?'

''t Is toch een heks! Ze heeft vast wel een toverdrankje of zoiets.'

Wietske springt van het muurtje. 'Dat kan ze nu toch niet pakken, sufferd!'

'Jij wilt dus dat die heks weer opstaat en voor altijd op nummer 13 blijft!'

'Ik weet het niet. Een heks is ook een mens.'

'Ik geloof niet dat een heks een mens is.'

'Wat is het dan?'

Tja, wat is het dan? Rik denkt zich suf maar kan geen antwoord geven.

'Wacht even,' zegt Wietske opeens, 'ik ga in het woordenboek van papa kijken.'

'Dan ga ik mee,' zegt Rik.

'Nee, jij kunt beter buiten blijven. Als we allebei naar binnen gaan, mogen we misschien niet meer naar buiten. Ik kom zó terug.'

Ze rent achterlangs naar binnen.

Rik blijft op het muurtje wachten. Hij wiebelt met zijn benen. Wat duurt het lang. Straks wordt hij ook naar binnen geroepen!

Eindelijk! Eindelijk komt ze terug.

'Heb je het gevonden?'

'Ja. Er staat in het woordenboek bij -heks-: "lelijke tovervrouw" en ook: "sluw, handig meisje".'

'Hà! Dan ben jíj ook een heks,' grinnikt Rik.

'Flauwerd! Lelijk is die heks wel. En toveren doet ze ook. Dus is ze een tovervrouw, en een vrouw is een mens, dus is een heks een mens.'

'Ja, dan zal het wel zo zijn...'

'Laten we dan nog maar even gaan kijken,' zegt Wietske. Ze loopt in de richting van de Katersgracht.

Rik kan het niet uitstaan. Wietske moet altijd van die gevaarlijke dingen doen! Iedere keer heeft ze iets anders. Hij wil met rust gelaten worden!'

Toch slentert hij met onwillige benen achter haar aan. Verbeeld je dat er iets met haar gebeurt. Hij kan haar niet in haar eentje laten gaan.

Ze gluurt weer door de brievenbus.

'En?' vraagt Rik.

'Ze ligt er nog, maar ze beweegt niet meer.'

'Dan is ze dood. Moeten we nu niet de politie bellen?'

'Nee, eerst wil ik nog een keer achterom kijken.'

Rik roept: 'Nee hè, toch niet weer?'

Maar Wietske is al om de hoek verdwenen.

11

De tuindeur van de heks is niet op slot. Wietske duwt hem
voorzichtig open.
Ze wenkt Rik: 'Kom mee!'
Hij aarzelt.
'Ze kan nu toch niks meer doen?' fluistert Wietske.
'Misschien is haar hele huis wel betoverd, of haar kat,'
fluistert hij terug.
De tuin is vol geheimzinnige geluiden. De wind ruist door de
bomen en beweegt de windorgeltjes aan de takken. Ze tinke-
len in alle toonaarden. Maar de vogels zijn stil. Ze zitten roer-
loos in de bomen en op de rand van de dakgoot. Een paar zit-
ten vlakbij de voerbakjes. Die zijn leeg. Alle vogels wachten.
Wietske loopt op haar tenen naar de achterdeur.
'Wat ga je doen?' vraagt Rik.
'Even kijken of de deur open is.' Ze lijkt in niets meer op de
geschrokken Wiets van een paar dagen geleden, toen ze de
heks tegen de muur op had zien lopen.
Bij de deur blijft ze even doodstil staan. Ze horen de kat
miauwen. Het klinkt bijna als het huilen van een kind.
Wietske kijkt veelbetekenend naar Rik. 'Die heeft natuurlijk
ook honger.'
Voorzichtig voelt ze aan de deur. 'Niet op slot,' fluistert ze.
Zo geluidloos mogelijk doet ze hem een stukje open. Opeens
gaat hij met een zetje vanzelf verder open. Er vliegt iets naar
buiten. Wietske geeft een gilletje en Rik z'n hart slaat een slag
over.
Het is de kat! De kat, die honger heeft en ook nog voor iets
anders hoognodig even de tuin in moet. Even strijkt hij met
zijn flank langs hun benen. Rik voelt het gekronkel van de
staart tegen zijn kuit. Ondanks het zachte weer staat ie daar
zo maar opeens te klappertanden. Hij durft geen vin te ver-

roeren. Maar de kat houdt hem verder voor gezien en verdwijnt in de bosjes.

Wietske is al van de schrik bekomen en doet de deur verder open. Rik wil haar wegtrekken, maar ze rukt zich los. Ze stapt zomaar naar binnen. Ze staat in de keuken van de heks! Met bonzend hart staat hij in de deuropening.

Wat een ouderwetse keuken! Het ruikt er net als in het bos. Al het houtwerk is donkergroen. Aan één wand zijn kasten met ruitjes ervoor. Ze staan vol glazen stopflessen en potten. Aan de andere kant is een lang, bruingespikkeld aanrecht met daaronder groengeverfde kasten met houten deurknoppen. Bijna in het midden staat een potkachel met een dikke ijzeren schoorsteenpijp, die in een gat in de muur verdwijnt. Zulke kachels zie je alleen nog maar in het Openluchtmuseum.

Tegen de andere muur staat een grote kale houten tafel. Alleen naast de achterdeur zit een klein raam. Het plafond is mosterdgeel. Er hangen bossen gedroogde bloemen aan haken. Overal staan losse kooktoestelletjes, waar maar één pan op kan. Op een ervan staat een grote, gietijzeren ketel. Op de zwart met wit geblokte tegelvloer staat een zinken teil vol verlepte brandnetelbladen.

Rik heeft nu ook een stap naar binnen gedaan. Dus hier brouwt de heks haar griezelige drankjes!

In een flits ziet hij dat zijn zus ook kippenvel heeft, net als hij. Toch loopt ze naar de deur, die op de gang moet uitkomen. Rik verstijft. 'Wietske, doe niet zo eng!'

Maar ze doet net of ze niets hoort en pakt de houten deurknop beet. Even kijkt ze bezwerend achterom naar Rik. Dan draait ze de knop om. De deur staat op een kier nu. Ze gluurt de gang in. Rik ziet haar rug verstarren. Wat ziet ze?

Eindelijk draait ze zich om. 'Ze ligt er nog.'

Rik frommelt zijn vingers in elkaar. 'Moeten we nu niet meteen de politie roepen?'

'Laten we eerst kijken wat ze heeft,' zegt Wiets en loopt langzaam op haar tenen de gang in. Rik denkt dat hij gek wordt! 'Wiets, toe nou, laten we teruggaan!' Maar tegelijkertijd weet hij: hoe meer je zulke dingen tegen Wietske zegt, hoe meer ze juist doorgaat met wat ze in haar hoofd heeft.

Hij kijkt haar door de deuropening na. Dan ziet hij de donkere gestalte van de heks in een vreemde bocht op de grond liggen. Wietske buigt zich voorover. De gestalte beweegt niet. Rik waagt zich nu ook wat dichterbij.

'Ik denk dat ze dood is,' zegt Wietske hardop.

Op dat moment schokt er iets in de heks.

Ze deinzen terug tegen de muur. Daar blijven ze roerloos staan. Vol spanning zien ze hoe de heks eerst één oog opent en dan het andere. Ja, doorschijnende ogen zijn het en ze staan opeens wagenwijd open, groot van schrik.

Rik wil weg, maar Wietske trekt hem aan zijn arm terug. 'Wacht even, ze wil iets zeggen.'

12

De mond van de heks is vertrokken van pijn. Er komen klagelijke klanken uit: 'Eèp...èèp...'

Rik kijkt Wietske vragend aan. Hij ziet dat ze slikt. Dan doet ze een stapje dichterbij en vraagt: 'Wat zegt u?'

'Èeèèp...èèep!'

'Ik kan u echt niet verstaan,' zegt Wietske.

Dan doet ze iets heldhaftigs: ze gaat op haar knieën zitten, vlak naast de heks. 'Ik hoor niet wat u zegt,' roept ze, 'wilt u het nóg eens zeggen?'

'Hèlp!' nu horen ze het duidelijk.

'Bent u gevallen?' vraagt Wiets.

'Ja, ja, pijn!'

'Zeker van het plafond gevallen?'

De ogen van de heks gaan wijd open.

'U liep laatst toch langs het plafond?'

De heks kijkt hen niet begrijpend aan. Of ze doet alleen maar zo. Dan maait ze met een stakerige arm door de lucht. Wietske doet op haar knieën een stapje terug. De staak landt op het dijbeen van de heks. Er volgt een luid gekerm en daarna:

'E-ookèn...'

Wietske komt weer dichterbij. 'Wát zegt u?'

'Ebjoken!'

'Oh, u bedoelt gebróken, is er iets gebroken?' Wiets gaat steeds harder praten.

'Ja, ja, pijn! Bel de zzzz...' de rest horen ze niet meer, de heks ligt weer in zwijm.

Wietske kijkt om zich heen. 'We moeten opbellen, heeft ze gezegd.'

'Opbellen? Wie?' vraagt Rik.

'De dokter? Politie?' Wiets weet het ook niet. 'Ze zei de zzz... en toen niks meer.'

Rik probeert: 'De zzz... de zuster, de zzz... de zíekenauto! We moeten natuurlijk de ziekenauto bellen!'

'Ja, dacht ik het niet!' zegt Wietske, 'dan hebben we een telefoon nodig. Waar is de telefoon?'

Ze kijken rond. 'Hij zal wel ergens in de kamer zijn,' zegt Wiets.

'Ergens in de kamer? Maar daar ga ik niet in!' Rik rilt.

Ze hóeven er niet in. De telefoon hangt aan de muur, vlakbij de voordeur. Zo'n telefoon hebben ze nog nooit gezien. Een rechthoekig zwart geval met een ronde schijf met gaten, waarin cijfers staan.

'Hoe komen we het nummer van de ziekenauto te weten?' vraagt Rik.

'Eh… effe denken…' Dan ziet ze het: een stickertje op de telefoon, net als bij hen thuis. 'Alarm 112' staat erop.

Ze moet op haar tenen gaan staan om bij het gekke beltoestel te komen.

'Hoe werkt dat ding?' mompelt ze.

Ze steekt haar vingers in de gaten.

'Draaien,' zegt Rik, 'dat is toch logisch! Kom hier.' Hij duwt haar opzij en steekt zijn wijsvinger in het gat waar 1 in staat en draait. Dan nog een keer en daarna de 2. Hij legt de hoorn tegen zijn oor.

'Met de alarmcentrale,' zegt een vrouwenstem.

'Eh, ja eh… met Rik!'

'Rik Wie?'

'Bergmans en Wietske is er ook. Dat is mijn zus.'

'Wat is er aan de hand?'

'De heks is gevallen.'

'De heks? Zeg, maak dat de kat wijs. Jullie moeten deze lijn niet bellen voor een geintje. Daar zijn we niet voor.'

Rik wordt boos. 'Het ís geen geintje!'

'Wat is er dan precies gebeurd?'

'De heks is gevallen toen ze tegen het plafond liep!'

Achter zich horen ze de heks kreunen. Wietske roept naast hem in de hoorn: 'Ze heeft héél veel pijn en ze valt steeds in slaap.'

'Wíe is gevallen?'

'De heks.' zegt Rik.

'Heeft de heks ook een naam?'

'Weet ik niet. Maar ik weet wél dat ze iets gebroken heeft. Ze ligt helemaal dubbel.'

'En waar woont ze dan?'

'Katersgracht 13.' Rik danst van het ene been op het andere. 'Kunt u niet vlug komen? Straks gaat ze nog dood!'

'Ik zal iemand sturen, maar o wee als het vals alarm is!'

'Het ís niet vals, het is echt. Komt u alstublieft gauw.'
Aan de andere kant hoort Rik 'Tuut-tuut-tuut.'
Hij legt de hoorn op het toestel. 'Ze zullen zo wel komen. Ik
hoop dat het niet te lang duurt.'
'Ik ook niet,' zegt Wiets. Ze laten zich langs de muur naar
beneden zakken en gaan op de grond zitten.

13

Rik houdt de heks goed in de gaten.
Heel in de verte horen ze het geluid: 'Tètuu-tètuu-tètuu!'
'Eindelijk,' zegt hij, 'daar zul je ze hebben. We moeten de
deur openmaken!'
Wietske schuift weer tegen de muur omhoog. De deur is
groot en ouderwets. Er zitten vier knippen op, een ketting en
een enorm sleutelgat.
Wietske kijkt in het rond. 'Waar is de sleutel?'
Ze kijken op het gangtafeltje, aan de haken van de kapstok,
onder de mat, nergens een sleutel.
Rik kijkt strak naar de lange zwarte jas aan de kapstok. De
jas van de heks.
'Ik denk dat hij in haar jaszak zit,' zegt hij toonloos.
'Nou, pák hem dan!' Wietskes stem wordt ongeduldig. De
sirene van de ziekenauto klinkt steeds dichterbij.
'Ja, ik ben daar gek! Ik ga niet in de zakken van een heks zit-
ten!'
Wietske geeft hem een zetje. 'Doe jij nou ook maar eens wat.
Ik moet altijd alles maar opknappen. Vooruit!'
Aan het geluid te horen moet de ziekenauto nu vlak voor de
deur zijn.
'Ik heb net ook al opgebeld,' zegt Rik nog.

'Schiet op!' Wietske geeft hem nog een por, 'ze zíjn er al!'
Rik pakt de jas tussen wijsvinger en duim vast en zoekt naar
de zak. Met dichtgeknepen ogen gaat hij met zijn andere
hand de zak in. Er zit een kluwen touw in en een prop van
wat een zakdoek moet zijn. Yech! Hij graaft dieper. Daar
voelt hij iets wat op een sleutel lijkt. Wat een grote! Het lijkt
wel de sleutel van een oud kasteel!
Maar er is niet veel tijd meer om na te denken. Het oorver-
dovende lawaai van de ziekenauto doet alles in de gang trillen. Dan stopt het abrupt. Er wordt hard aan de bel getrokken. Het klingelt pal boven Riks hoofd. Van schrik laat hij
laat bijna de sleutel vallen.
Wietske trekt hem uit zijn hand, steekt hem in het slot en
draait, een, twee, driemaal. dan de knippen nog en de ketting.
De deur geeft eindelijk mee. Van de straatkant wordt hij
opengeduwd. Rik en Wietske worden bijna geplet tegen de
gangmuur.
Twee mannen in witte jassen stappen naar binnen, rechtdoor
naar de gevallen heks.
Ze buigen zich over haar heen en kijken of ze haar armen en
benen nog kan bewegen. Er klinkt een snerpende kreet. Een
van hen richt zich op. Hij lijkt wel twee meter lang.
'Gebroken heup,' mompelt hij.
Nu pas ziet hij Rik en Wietske staan.
'Hebben júllie gebeld?'
Rik wijst naar zichzelf. 'Ikke,' zegt hij.
'Is dit jullie oma?'
'Ja zeg, kom nou,' denkt Rik, 'hoe kómen ze erbij, een heks
als oma!'
Wietske stoot uit: 'M'n oma? De héks zal je bedoelen!'
'Zeg meissie, nou moet je me niet in de maling nemen, ik ben
Moeder de Gans niet! Wie is deze mevrouw?'
'Ze is écht een heks,' zegt Rik, 'ze is van het plafond gevallen.

Ze loopt wel eens langs het plafond ziet u.'

De heks kreunt. Ze wil iets zeggen, maar er komt niets. Haar ogen vallen weer dicht.

'Rustig maar mevrouw,' zegt de andere verpleger, 'we brengen u even naar het ziekenhuis.'

De lange zegt: 'Nu moeten jullie eens goed luisteren. Vóór we haar weg kunnen brengen, moeten we weten hoe ze heet. Ik kan moeilijk opschrijven: mevrouw de heks!'

Rik en Wietske halen hun schouders op: 'We weten het écht niet.'

'Misschien ligt er ergens wat post,' oppert de andere.

De langste verdwijnt in de kamer. Even later komt hij naar buiten met een paar enveloppen. 'Allemachies, vreemd huis is het hier. Ze heet volgens de post: mevrouw Frieda di Mare. Ik kan er niets anders van maken.' Hij richt zich opeens tot Wietske: 'Heeft ze nog familie?'

Die haalt haar schouders op. 'Vast niet.' Rik kan zich ook niet voorstellen dat een heks een vader en moeder heeft, of broers en zussen.

De verpleger vult de naam en het adres in op het formulier. Nu gaan ze vlug aan het werk. Ze halen een brancard uit de ziekenauto en schuiven de heks daar heel voorzichtig op, en zo op het onderstel met wielen.

'Doen jullie de deur eens wijd open?'

Met z'n tweeën trekken ze aan de zware deur. De brancard wordt naar buiten geduwd. Daar staan kinderen en grote mensen in een halve kring om de deuropening.

'Hee, wat doen die twee daarbij?' horen ze een vrouwenstem zeggen.

'Wat hebben die met de heks te maken?' smiespelt een oude man vanachter zijn hand.

'Weet ik niet. Maar van die heks hebben we voorlopig geen last,' zegt een opgeschoten jongen gemeen.

45

'Had jij er dan last van?' vroeg de ziekenbroeder.

Er kwam geen antwoord.

Als de heks in de auto wordt geschoven wordt ze wakker. Verwilderd tilt ze haar hoofd op. Roept ze iets?

Rik en Wietske kunnen het niet verstaan.

Dan komt de langste verpleger naar hen toe. 'Ze heeft het over haar kat en de vogels. Die moeten eten hebben. Ze weet niet wie dat nu moet geven.' Hij klapt de deur van de ziekenauto dicht. 'Ik geef het maar even aan jullie door,' zegt hij nog. Dan stapt hij in en de ziekenwagen zet zich in beweging. Wietske en Rik blijven verdwaasd in de deuropening achter.

14

'Wat doen die twee in het huis van de heks?' klinkt het weer.

Rik probeert het uit te leggen: 'We hoorden haar om hulp roepen.'

Hij voelt alle ogen op zich gericht. Verbaasde, niet begrijpende ogen.

'Kom mee,' zegt Wietske, 'we gaan naar huis.' Ze stopt de grote sleutel in haar zak, slaat de zware voordeur achter zich dicht en trekt Rik mee. De hele gracht lang stappen ze stevig door, zonder op of om te kijken. Pas in hun eigen buurt doen ze wat rustiger aan.

Thuis is mama in alle staten. 'Ze is wel gauw boos de laatste tijd,' denkt Rik. Papa probeert haar te sussen, maar dat lukt niet.

'Waar wáren jullie?' roept ze uit zodra ze hen ziet, 'weten jullie wel hoe laat het is? Ik ben ontzettend ongerust geworden, er was een ziekenauto in de buurt!'

'Dat waren wij,' zegt Wietske doodleuk.

'Watte? Julllie? Wat is er gebeurd?'

'Wíj hebben de ziekenauto gebeld.'

'Wáár dan? Wannéér dan?' Mama's stem klinkt steeds hoger. Op het ongeruste geluid van mama komt Janine de trap af gedenderd. 'Wat is er allemaal?'

Wietske gaat verder: 'We waren bij de heks. Ze heeft haar heup gebroken.'

Mama moet gaan zitten. Ze snapt er niets meer van. Ze hapt naar lucht. Papa gebaart naar haar dat ze zich rustig moet houden. 'Vertel nu eens precies wat er gebeurd is.'

Ze vertellen het hele verhaal. Waar Wietske stopt, gaat Rik verder en omgekeerd.

'En ik heb nog wel zó gezegd dat je daar weg moest blijven,' zegt mama als ze klaar zijn.

Wietske is verontwaardigd. 'Maar je zegt óók altijd dat je mensen in nood moet helpen. Een heks is toch ook een soort mens!'

Mama drukt haar wijsvinger tegen haar mond. Ze moet lang nadenken.

Wietske graait ondertussen in haar zak en gooit iets midden op tafel. Daar ligt de sleutel van de heks: groot, geheimzinnig en roestig.

'Wat zullen we dáár nu hebben, hoe kom je daaraan?' vraagt papa terwijl hij de sleutel bekijkt.

'Die is van haar huis.'

'Breng terug!' zegt mama, 'meteen!'

Rik kijkt haar verwonderd aan. 'Dat kan toch niet, ze is toch naar het ziekenhuis!'

'En ze had het nog over de kat en de vogels,' vult Wietske aan, 'die hebben geen eten gehad.'

'Wie moet dat nu doen?' vraagt Rik zich af.

'Nou, íkke niet!' griezelt Janine.

'We kunnen toch niet zo maar bij de heks...' stamelt mama.

Wietske duwt haar verwarde haren naar achteren. 'Maar wat dan? Wat moet er dan gebeuren?'

Het is opeens doodstil in de kamer. Iedereen is bezig met zijn eigen gedachten.

Eindelijk zegt papa; 'Ik zal wel eens poolshoogte gaan nemen.' Hij steekt de sleutel in zijn zak.

Rik en Wietske springen tegelijkertijd op. 'Dan gaan wij mee!'

Maar mama springt ook op. 'Niets daarvan,' zegt ze, 'het is al laat genoeg. Jullie blijven thuis.'

Papa legt zijn hand op mama's arm. 'Misschien is het toch goed dat ze even mee gaan, dan kunnen ze me precies vertellen wat er allemaal gebeurd is.'

Rik recht zijn rug. Papa vindt het zeker ook griezelig om in zijn eentje naar dat huis te gaan.

'Niet te lang wegblijven hoor!' roept mama hen na.

15

Onderweg zegt Wietske: 'De achterdeur staat nog open.' Daarom gaan ze achterom.

In de tuin is het al donker. Ze gaan dicht tegen papa aan lopen. De vogels zitten nog steeds roerloos op de takken en op het dak. Ze zien hun donkere schaduwen.

'Zie je wel,' zegt Wietske, 'ze zitten nog steeds op eten te wachten.'

De achterdeur staat nog op een kier. Papa gaat als eerste naar binnen. Hij zoekt een lichtknop. Recht boven hun hoofd flakkert blauwig TL-licht op. Er kleven dode muggen aan het glas van de lamp.

Papa kijkt zwijgend rond. Dan gaan ze naar de gang.

'Daar lag ze,' zegt Wietske en wijst de plek aan. Er ligt nog een papieren zakdoekje op de grond.

Ook hier vindt papa het licht. Een glas-in-loodlantaarntje tovert gekleurde vlekken op de muren.

Wietske wijst. 'Kijk, met die gekke telefoon hebben we de ziekenauto gebeld.'

'Je bedoelt dat ík heb gebeld,' verbetert Rik haar.

'Dat vind ik toch wel knap van je,' zegt papa, 'hoe wisten jullie het nummer?'

'Dat heeft Wietske gevonden, op die sticker daar.'

Papa voelt aan de kamerdeur. Die gaat open.

'Blijven jullie maar even hier,' zegt hij. Maar daar hebben ze helemaal geen zin in! Nu ze al zo ver zijn, willen ze alles zien. De heks is er nu toch niet.

Ze schuiven achter papa's veilige brede rug de kamer in. Het is er schemerdonker. De lantaarnpaal voor het raam geeft nog wat zicht. Dan vindt papa de lichtknop en is er het roze schijnsel van een enorme lamp in het midden. De lampenkap heeft een zijden rok met franje. De kamer is propvol met ouderwetse meubelen. Rik ruikt een vage bloemengeur. Er ligt een versleten vloerkleed op de zwarte houten planken. Je ziet nog vaag iets van een bloemenpatroon. De kamer is niet zo bijzonder als ze gedacht hadden. Alleen een tafeltje bij de tuindeuren ziet er spannend uit. Er staat een glazen bol op en ook nog een piramide van glas. Ernaast liggen vreemde speelkaarten in een waaier uitgespreid. Aan de muren hangen drie oude violen. De strijkstokken hangen er netjes naast.

Rik gluurt omhoog, naar het plafond. Hij zoekt naar voetstappen maar ziet alleen een paar verfbladders.

Papa zegt niets. Hij kijkt in het rond en duwt hen dan weer met zachte drang de kamer uit.

'Wacht hier even in de gang, ik bel even bij de buren aan.' De brede voordeur gaat met zacht gekreun open en dicht. Weg is hij.

49

Het is opeens beklemmend stil.

'Ik hoop dat hij gauw terugkomt,' fluistert Rik. Ze staan zenuwachtig te wiebelen van hun tenen op hun hakken. Buiten horen ze een brommer voorbijrijden en ook nog een auto. In de stilte die volgt horen ze het geluid.

Een niet na te vertellen geluid.

Boven hun hoofden raast iets heen en weer. Hun ogen volgen het geluid langs het plafond, maar er is niets te zien. Het moet iets op de eerste verdieping zijn. Maar wat dan? De heks ligt toch veilig en wel in het ziekenhuis?

Ze staan aan de grond genageld met bonkend hart en gestrekte nekken. Opeens gaat een schok door hen heen. Boven valt iets om!

Ze geven tegelijkertijd een gil en zetten het dan op een krijsen. 'Papa! Help papa! Kom terug, er is iets engs boven!' Ze wachten niet af tot papa terugkomt. Achter elkaar aan springen ze naar buiten.

Papa is net weer op weg naar de voordeur en vangt hen op. Ze drukken zich stijf tegen hem aan. 'Kom, kom, wat is dat nu?' zegt hij, 'hebben jullie een spook gezien?'

Hoe kan papa zo kalm blijven! Er is iets griezeligs bij de heks boven!

Wietske kan het eerst weer iets zeggen. Ze vertelt van het rare geluid.

'Ik ga wel even kijken,' zegt papa. En weer staan ze met z'n tweeën in de gang, terwijl papa de trap oploopt.

Ze horen hem boven heen en weer lopen, kamer in, kamer uit. Dan komt hij de trap af. Onder zijn arm heeft hij iets zwarts, iets harigs. 'De kat!' zegt hij grinnikend, 'het is gewoon de kat. Dat beest vergaat van de honger. Hij was natuurlijk op muizenjacht. Kom! We gaan op zoek naar kattenvoer.'

Als ze met papa de keuken ingaan knikken hun knieën nog.

Het kattenvoer vinden ze in een grote donkerrode bus.
Papa strooit wat in een bakje en de kat valt erop aan. Rik
kijkt naar het etende beest. Het ziet er bijna vredig uit nu. En
toch heeft Wietske hem langs het plafond zien lopen...
'De vogels hebben ook nog niets gehad,' zegt Wietske. Ze is
wat bekomen van de schrik. Het vogelvoer vinden ze in een
plastic zak achter een van de glazen kastdeuren.
Papa strooit een paar handenvol de tuin in. Met gefladder en
gekrijs komen de vogels tot leven. Op de grond is het een frie-
melende hoop van veren en pikkende snavels. Ze blijven een
tijdje zwijgend staan kijken. Dan zegt papa: 'Ga mee, we
gaan door de voordeur naar buiten.' Zorgvuldig doet hij de
keukendeur achter hen op de knip en sluit dan de voordeur
met de grote sleutel. Die brengt hij naar nummer 15. Daar
staat een magere, slungelige man op vilten sloffen in de deuropening. Hij zegt: 'Ik houd wel een oogje in het zeil. Eigenlijk
bemoei ik me niet met haar, maar nu ligt het natuurlijk
anders. Ach, het mensje doet geen vlieg kwaad. Ik zeg maar
zo: leven en láten leven. Ik voer die beesten wel tot ze terugkomt. Goeienavond.' Hij doet de deur dicht.
'En nu als de bliksem naar huis en naar bed,' zegt papa.
Opeens heeft hij haast.

16

De volgende morgen staan ze op het schoolplein te wachten
tot ze naar binnen mogen.
'We zijn in het huis van de heks geweest!' zegt Wietske met
haar neus in de wind.
Vol ontzag kijken ze haar aan. Rik haalt diep adem en zegt:
'Ik ben óók in het huis van de heks geweest!'
'Dat meen je niet,' zegt Teun.

51

'Jawèl!' Rik maakt zichzelf een paar centimeter langer.
Wietske vertelt het hele verhaal aan iedereen die het maar horen wil.
'Dat liegen jullie!' roept Gijs erdoorheen.
Wietske onderbreekt zichzelf: 'Nee! Dat liegen we niet!'
Rik helpt zijn zus: 'Het is echt gebeurd.'
'Huh, misschien heeft ze jullie wel stiekem betoverd,' smaalt Gijs.
'Ach welnee joh!' Rik snuift met zijn kin in de lucht.
'Dat zullen we dan wel eens zien!' zegt Gijs nog gauw voor ze naar binnen moeten. Wietske knijpt even in Riks arm. 'Laat toch kletsen joh.' Als een haas gaat ze haar eigen klas in.
'Wat is het toch een rotjong,' zegt Teun in Riks oor.
Rik kan zijn gedachten niet bij de les houden. Dát zal toch niet kunnen, hen betoveren? Daar was ze veel te ziek voor.
De juf vertelt een verhaal over Karel de Grote.
Naast hem zit Geertje. 'Was het eng?' fluistert ze. Haar ogen nieuwsgierig achter haar guitige brilletje. Ze rilt zichtbaar. Juf Katrien kijkt onderzoekend hun richting uit. 'Wat is er zo spannend Geertje?' vraagt ze.
Geertje haalt haar schouders op. 'Niks.'
'Ik dacht toch dat jullie samen zaten te smoezen. Rik, zeg jíj het dan maar. Mogen wij het ook weten?'
'Het is echt niks juf, helemaal niks.'
'Dan valt er ook niets te kletsen. Luisteren jullie dan weer naar mijn verhaal?'
Oei! Dat loopt goed af. Rik blijft tot het speelkwartier zitten alsof hij met drie oren luistert.
In het speelkwartier zoekt hij Wietske op. Die staat weer midden in een kring op te scheppen over gisteren. Wat zegt ze daar? 'We gaan haar natuurlijk opzoeken in het ziekenhuis.'
Stoere Jeroen lacht honend. 'Dat durf je tóch niet.'
'Túúrlijk wel!' snoeft Wietske.

Jeroen kijkt onheilspellend met zijn toch al zo donkere ogen.
'Dan betovert ze je hoor, dat zul je zien!'
'Of ze léért me toveren en dan betover ik jou!' Met klauw-vingertjes komt ze op Jeroen af.
'Grijp haar!' roept Gijs. Jeroen neemt haar in de houdgreep.
'Wat wil je nou hè, nepheks!'
Jan met de lange benen helpt Jeroen. Ze heten niet voor niks de twee J's. Onafscheidelijk zijn ze.
'Laat me los!' gilt Wietske.
Jeroen omklemt haar nog steviger. Ze wordt rood van kwaadheid, maar ze kan geen kant op.
Rik vermant zich. Ze moeten van zijn zusje afblijven. Hij gaat achter Jeroen staan en prikt met z'n twee wijsvingers tegelijkertijd in zijn rechter- en linkerzij. Jeroen schokt omhoog en laat Wietske los. Wèg is ze, en Rik maakt ook dat hij uit de buurt is.
Samen verbergen ze zich achter het muurtje van het fietsen-hok. Ook al stinkt het er nóg zo muf. Alleen Teun komt ach-ter hen aan. 'Wat zei je daarnet?' hijgt Teun, 'Wil jij de heks gaan opzoeken? Ik zou maar uitkijken.'
'Waarom niet?' zegt Wietske, 'Ze ligt toch in het ziekenhuis? Daar kan ze heus niets doen.' Weer steekt ze haar neus in de wind terwijl ze zegt: 'En ik heb nog nooit een heks in pyjama gezien!'
's Avonds probeert ze haar plannetje uit bij mama. Die zit op de grote leren bank met een tijdschrift op haar schoot. De tv is aan, maar ze kijkt niet.
'Mam?'
Mama is met een kruiswoordpuzzel bezig.
'Mam, luister es?'
'Wacht even. Weet jij een drank met dertien letters? Het begint met een C, ergens in het midden staat een L en het ein-digt op een K.'

'Weet ik niet. Mam, gaan we de heks een keer in het ziekenhuis opzoeken?'

Mama kijkt even op. 'Je bedoelt mevrouw di Mare. Ik heb er een hekel aan als je haar "heks" noemt.'

'Je zei het laatst zelf ook een keer en ze ís toch een heks?' bromt Rik.

'Wie zegt dat?'

'Nou,' zegt Rik, 'alleen haar naam al en hoe ze eruit ziet en dat huis van haar! Als dát geen heks is! Ze loopt langs de muur omhoog en ze brouwt gekke drankjes en...'

'Chocolademelk!' roept mama.

Rik stopt. 'Watte?'

'Chocolademelk, dat is het woord!'

Wietske wordt ongeduldig. 'Mógen we nu bij haar op bezoek of niet?'

'We zullen zien, ik zal het er met papa over hebben. Eens kijken: vijf naar beneden... een muntstuk met vier letters. Het begint met een e, ehh...'

Rik en Wietske geven het op. Verongelijkt zetten ze het jeugdprogramma op de tv aan.

17

Papa vindt het heel normaal dat je mensen die ziek zijn opzoekt.

En helemaal als je ze zelf gevonden hebt met een gebroken heup. Dus maken ze een plannetje voor woensdagmiddag. Hij heeft het ziekenhuis gebeld om te vragen op welke afdeling ze ligt. 'Ze ligt op afdeling 12 kamer 13,' werd hem verteld.

'Da's gek,' denkt Rik, 'alwéér nummer 13.'

Rik en Wietske mogen er samen naartoe. Mama zal wat later

komen. Ze is steeds nieuwsgieriger naar de heks geworden, maar ze moet eerst boodschappen doen.

Hoe dichter de woensdagmiddag nadert, hoe zenuwachtiger ze worden. Op ziekenbezoek gaan bij een heks, hoe doe je dat?

'Jullie kunnen een bosje bloemen voor haar kopen,' oppert mama, 'in de hal van het ziekenhuis is een bloemenwinkel.'

'Betaal jíj die dan?'

Mama kijkt zuinig. 'Is jullie zakgeld op?'

'Nee, dat niet maar...'

'Het is júllie heks, eh... mevrouw di Mare. Weet je wat? We betalen met z'n drieën.'

Ze legt wat geld op tafel. 'Jullie betalen de rest.'

's Woensdags gaan ze direct na het middageten richting ziekenhuis. Deze keer hebben ze niets verteld op school.

Ze komen voorbij nummer 13. Vreemd, sinds de heks in het ziekenhuis ligt, is er niets meer tegen de gevel gegooid. De dader moet dus weten dat de heks niet thuis is. Griezelig idee. Wie kan het toch zijn?

Het ziekenhuis is niet moeilijk te vinden. Het torent hoog boven alles uit aan het brede water, dat de stad doorkruist. Vlak voor de grote brug moeten ze rechtsaf en dan zijn ze er al. Het kán niet missen.

'CENTRUM – ZIEKENHUIS' staat met verlichte letters boven de ingang. Eronder is een enorme draaideur. Het bezoekuur is al begonnen. Er lopen veel mensen naar binnen, met groepjes tegelijk stappen ze de draaideur in. Wietske glipt nog net met een groep naar binnen. Rik stapt in de volgende opening. De deur draait automatisch, maar het gaat op een sukkelgangetje. Duwen helpt niet. Door het glas ziet hij Wietske, vlak voor hem. Flauw dat ze niet even op hem wachtte. Eindelijk kan hij de grote hal binnenlopen. Maar waar is Wietske nu weer? Net was ze er nog! Waar moet hij nu naar toe? In de hal krioelt het van de mensen. 'Wietske?' roept hij met een dun stemmetje, en dan wat harder: 'Wiets!'

Opeens staat ze pal voor zijn neus. 'Daar ben ik weer!'

'Waar was je dan? Ik zag je opeens niet meer.'

'Dombo, ik heb nog een rondje gelopen. Hartstikke leuk zo'n draaideur die vanzelf gaat! Kijk, daar in de hoek is een bloemenwinkeltje.'

Er staat een rij mensen te wachten. Ze gaan op zoek naar een geschikt boeket. Dat heeft Wietske gauw gevonden. Ze pakt een enorme bos uit een emmer. Allerlei soorten gele bloemen en wel zes zonnebloemen. Het boeket straalt als de zon zelf. Ze sluiten achter aan in de rij.

Eindelijk zijn ze aan de beurt.

'Dat is tien euro,' zegt de mevrouw achter de kassa. Wietske laat bijna het boeket uit haar handen vallen.

'Tien euro? Die hebben we niet!'

'Tja, dat is dan jammer. Dan moet je wat anders uitzoeken. Hoeveel heb je wel?'

'Drie euro vijftig.'

'Daar heb je een bosje rozen voor.' Ze wijst naar een paar emmers in de hoek. Daarin staan piepkleine bosjes rozen: gele, roze en rode.

'Maar die vind ik lang niet zo mooi,' sputtert Wietske.

'Rozen zijn altíjd mooi,' zegt de vrouw ongeduldig, 'kom meisje, wil je ze nu wél of niet? Er staan nog meer klanten!'

Rik geeft Wietske een por. 'Schiet nu maar op, Wiets!'

'Nou, die gele dan maar,' zegt Wietske spijtig.

De gele roosjes worden ingepakt. 'Geef jíj ze maar straks,' zegt Wietske.

Nu moeten ze uitvinden waar de heks ligt.

Bij de lift hangt een bord.

'Ik zie het al,' zegt Wietske, 'kijk, daar! Afdeling 12, twaalf-de verdieping. Lekker hoog!'

Ze trekt Rik mee, een openstaande lift in. Ze kunnen er nog net bij, stampvol is het. Als een overvolle koektrommel.

'Buik in, want de deuren gaan dicht,' zegt Wietske. De roos-jes zitten er bijna tussen. Er klinkt gelach. Lachen ze hén nu uit? Benauwd is het hier. Bij elke verdieping gaan er geluk-kig mensen uit en bij de twaalfde zijn ze nog maar met z'n tweeën.

Wietske pakt zijn hand weer. Ze is opeens veel stiller. Alsof ze er nu pas weer aan denkt dat ze bij een heks op bezoek gaan. Hun voeten slepen over de gladde gangvloer. Ondertussen lezen ze hardop de nummers op de deuren. '1...3...5...7... ...13!'

Ze staan voor het ongeluksgetal op elkaar te wachten. Wie zal er het eerst naar binnen gaan?

Waar is Wietskes lef gebleven? Ze kijkt Rik aan: 'Ga jij maar eerst, jíj hebt de bloemen.'

Rik kijkt wel uit! 'Jíj wou op ziekenbezoek. Het was jóuw plannetje.'

'Ik moet altijd overal alles het eerste doen, nú jij maar es!'

Rik verroert geen vin. Wietske ook niet.

Alleen de rozen bibberen een beetje in Riks handen. Het papier kraakt ervan.

Dan haalt Rik diep adem en duwt voorzichtig de deur open. Iémand moet de eerste zijn.

Een vage medicijngeur komt hen tegemoet. Ze kijken in een kleine kamer. In het midden staat een hoog bed met een stel-lage. In het bed ligt de heks, tenminste dat moet ze wel zijn. Haar haren zitten los. Dan herkennen ze haar gezicht en haar magere gestalte. Maar wie verwacht er nou een heks in een doodgewone pyjama! Een bloemetjespyjama nog wel.

Net zo een als oma vroeger had!

18

Ook de heks kijkt verbaasd. Bezoek? Voor haar? Ze heeft nog nooit van haar leven zomaar bezoek gehad.

Haar doorschijnende ogen kijken vragend hun kant uit. Dan horen ze haar stem. Die klinkt als... als... nou ja, alsof ze door een dikke doek heen praat. Niet schor of krassend zoals je van een heks zou verwachten. Meer een beetje fluwelig.

'Wie zijn jullie?' vraagt ze.

Wietske moet even kuchen voor er geluid komt: 'Wij lopen altijd langs uw huis.'

De ogen van de heks vernauwen zich. 'Horen jullie soms bij die tomatengooiers?'

'Nee, natuurlijk niet,' zegt Rik verontwaardigd, 'wij lopen gewoon langs uw huis, als we naar school gaan.'

'We zijn maar twee keertjes achterom gelopen,' flapt Wietske eruit, 'maar dat was alleen maar om te kijken. Niks anders dan kijken.'

'Toch ken ik jullie niet,' zegt de heks.

Dat vindt Wietske gek. 'We hebben nog wel de ziekenauto voor u gebeld, toen u in de gang lag!'

De ogen van de heks gaan weer wijd open. 'O ja??? Daar weet ik niets meer van. Maar ik ging ook haast van mijn stokje van de pijn.'

'Van d'r bezemsteel bedoelt ze zeker,' denkt Rik.

Wietske doet een stap naar voren. 'U moet ook niet meer langs het plafond lopen op uw leeftijd.'

'Watte? Wat zeg je nou? Ikke? Langs het plafond?' De heks barst in lachten uit. 'Au! Oh! Ik lach me krom!'

Ze wordt écht helemaal krom, grijpt naar haar dijbeen en kreunt: 'Je ziet ze vliegen meisje, ik ben gewoon over de kat gestruikeld. Langs het plafond lopen... Hoe kóm je erbij. Ik ben geen vlieg! En ook niet gek!'

'Ik heb het toch echt gezien,' mompelt Wietske. Ze kijkt de heks meewarig aan.

'Wanneer heb jij dat gezien?'

'Die keer toen we bij u in de tuin keken.'

Het hoofd van de heks komt omhoog van het kussen. Haar neus wijst priemend naar de neus van Wietske. 'Dus toch, jullie horen tóch bij die lastigvallers.' Het klinkt schril nu.

Rik doet wanhopig zijn best om iets goeds te zeggen. Een heks die boos is, is niet te vertrouwen. Ook al ligt ze in bed in een bloemetjespyjama.

'Waarom kunt u uzelf niet beter toveren?'

'Dat is nogal logisch, ik ben toch geen dokter?'

'Maar u bent toch een heks?' Rik slaat zijn hand voor zijn mond. Wat heeft hij gezegd! Misschien denkt de heks wel dat hij haar uitscheldt.

De heks wordt niet boos. Ze krijgt de hik. Van het lachen.

'Au!-oh-haha-hik...hik!'

Met stomheid geslagen kijken Rik en Wietske naar haar en dan naar het nachtkastje. Dat kastje is betoverd: bij elke hik hikt alles op het kastje mee. De pilletjes in een bakje dansen omhoog. De lepel in het koffiekopje springt bij elke hik op.

Als de heks uitgehikt is, ligt alles weer stil.

Rik en Wietske zitten met hun mond wijd open naar de heks te staren.

'Wat is er?' vraagt de heks, 'waarom kijken jullie me zo aan?'

'Die pillen,' stamelt Wietske, 'en dat koffiekopje... Die hadden ook de hik.'

'Oh, dat is niets bijzonders, dat gebeurt wel vaker. 't Is net of de dingen naar me luisteren, kijk maar.'

De heks kijkt naar haar koffiekopje. Haar ogen dwingen het naar de andere kant van het nachtkastje. Rik en Wietske kijken gespannen toe. Ze durven niet te ademen... Daar gaat het kopje met het schoteltje al. Langzaam schuift het naar het

andere eind van het nachtkastje. Niet te geloven!
Ze merken niet dat er op de deur geklopt wordt.
De heks wel. Ze schrikt. Het kopje klettert op de grond.
Rik en Wietske vliegen overeind. In de deuropening staat mama.
'Niets van zeggen hoor,' sist de heks hen toe van achter haar hand.

19

'Goedemiddag,' zegt mama, 'u bent mevrouw di Mare, als ik me niet vergis?'
'Hoe weet u dat?' vraagt de heks. 'Kent u mij?'
'Ik ben de moeder van deze twee kinderen,' zegt mama, 'ík kom eens kijken hoe het met u gaat.' En meteen daarop zegt ze: 'Maar Rik, heb je de bloemen nog niet gegeven?'
Rik krijgt een hoofd als een rode roos. Verlegen geeft hij het gele bosje aan de heks. 'Die zijn nog voor u. Oh help, ze zijn helemaal slap geworden!'
'Inderdaad, die zien er verfomfaaid uit.' Mam kijkt hem verwijtend aan. 'Wat heb je ermee gedaan?'
'O, geeft niets hoor,' zegt de heks. Ze houdt de bloemen vlak voor haar ogen en zegt: 'Kom rozenkinderen, laat je eens van je mooiste kant zien?'
Ze zien hoe de rozen zich strekken en hun kopje oprichten. Al gauw zien ze er net zo fris uit alsof ze vers in de ochtenddauw geplukt zijn.'
Mama kijkt bevreemd. Rik en Wietske verbazen zich nergens meer over. Het is even stil in de kamer. Dan horen ze de heks zeggen: 'Bloemen, daar moet je mee praten. Maar nu weet ik nog steeds niet wie jullie zijn.'
'Ik ben Sofia Bergmans,' zegt mama, 'en dit zijn Wietske en

Rik, mijn kinderen. We wonen in de Tuinstraat, niet ver bij u vandaan. Mijn man, Mark, heeft uw huis afgesloten.'

'Ik heb jullie nog nooit gezien,' zegt de heks, 'in elk geval bedankt voor de bloemen. Dit is de eerste keer in mijn leven dat ik bloemen krijg.'

Daar zijn ze even stil van.

'En bezoek heb ik ook nog nooit gehad, behalve van mijn zus dan, maar dat is familie. De wonderen zijn de wereld nog niet uit. Waar heb ik dat aan te danken?'

Nu vertellen Rik en Wietske hoe Rik langs haar huis gekomen was en hoe ze hulpgeroep gehoord hadden en wat er daarna allemaal gebeurd was.

'Dus het is aan júllie te danken, dat ik hier lig en niet meer in de gang. Ik kan me er niets meer van herinneren. Vreemd...'

Ze haalt haar gebloemde schouders op. Rik en Wietske doen van de weeromstuit mee. Dan zegt de heks:

'Ik maak me wel zorgen.'

'Waarover?' vraagt mama.

'Tja, ík lig hier wel goed, maar m'n kat en de vogels! Nu kijkt niemand meer naar hen om.'

'O jawel hoor,' zegt Wietske haastig, 'dat is al geregeld. Uw buurman zorgt voor hen. Mijn vader heeft uw sleutel bij hem afgegeven.'

'Mijn buurman? Die ken ik amper. Doet hij dat zomaar voor mij?'

Mama legt haar hand op de hand van de heks. 'Daar ben je toch buren voor? Maakt u zich maar geen zorgen.'

'Geen zorgen, geen zorgen? Dat is gemakkelijk gezegd. Ik maak me wél zorgen. Er wordt van alles tegen mijn huis gegooid. Zomaar! Ik heb nog nooit iemand kwaad gedaan. Wie weet wat er nu weer allemaal tegen de ramen zit.'

'Niets,' zegt Rik, 'ze zijn ermee gestopt.'

'Wie doet er nu zoiets?' jammert de heks, 'weten jullie dat

soms? Jullie komen elke dag langs mijn huis.'
Nee. Rik en Wietske weten het ook niet.
'Als ik wist wie het deed, nou dan, dan...' De heks maakt
haar zin niet af. Ze huiveren bij de gedachte wat er zou
gebeuren als...
Mama staat op. 'Kom, we gaan. U zult weer moeten rusten.
We komen nog een keer terug.'
'Dat zou heel fijn zijn,' zegt de heks. Ze glimlacht. Echt
gevaarlijke tanden heeft ze niet. 'Als ik weer thuis ben, moeten jullie maar eens op de thee komen. Ik heb heerlijke kruidenthee.'
Rik en Wietske geven de heks een hand. Ze heeft grote handen, een beetje klauwachtig. Rik legt zijn hand erin. Wat een
vreemd gevoel. Het lijkt wel of hij een beetje onder stroom
komt te staan. Er komt warmte uit de hand van de heks. Zijn
hele hand is ermee doorgloeid. Hij krijgt een kleur. 'Dag
mevrouw de he.. eh di Mare,' zegt hij. Hij veegt stiekem zijn
hand aan zijn broek af.
Nog vóór ze bij de deur zijn, gaat die vanzelf open. Er staat
niemand achter. Verbaasd kijken ze om.
'Oh, dat is niets bijzonders, dat zei ik toch al,' zegt de heks,
'de geest beheerst de stof.' Ze zwaait hen na.
Onder de indruk zwaaien ze terug. Dan staan ze in de gang.
'Voelden jullie dat ook? zegt mama, 'mijn hand is er nog helemaal warm van.'
'De mijne ook,' zegt Rik.
Wietske wappert met haar hand. 'De mijne tintelt helemaal.'
'In heksen geloof ik niet,' zegt mama, 'maar ze heeft wel iets
heel bijzonders. Kom, we gaan.'
Met hun hoofd vol verwarde gedachten lopen ze het zieken-
huis uit.

20

Papa komt handenwrijvend thuis. 'Ik ruik spekjes!' zegt hij, 'eten we andijviestamppot? Lekker!'

Mama heeft de grote pan op tafel gezet. De houten lepel steekt er nog in. Stamppot hoef je niet zo deftig te eten, vindt ze.

'En? Hoe was het in het ziekenhuis?' vraagt papa terwijl hij warme worst in vijf stukken snijdt. Mama neemt een stuk van hem aan. 'Tja, wat zal ik zeggen... Het is een aardig mens, maar wel een beetje vreemd. Maar een heks..., nee. Trouwens, heksen bestaan niet.'

'Ze kan anders wel toveren,' zegt Wietske.

'Nou, toveren... Ze kan dingen die wij niet kunnen, maar of dat toveren is...'

'Misschien is ze paranormaal begaafd,' zegt papa.

'Para wat?' Riks vork blijft in zijn mond steken.

'Paranormaal begaafd. Dat ben je als je dingen kunt die een normaal mens niet kan.'

Rik slikt zijn hap door. 'Net als in een circus?'

'Nou, nee. Anders.'

'De geest beheerst de stof,' zegt mama, 'dat zei ze vanmiddag.'

Wietske legt haar vork neer. 'Wat betekent dát nu weer?'

'Dat je met je gedachten de baas bent over de dingen, zoiets.'

'Sorry hoor,' zegt Wietske ongeduldig, 'ik snap er niets meer van. Ze is gewoon een heks, punt uit.'

'Maar wel een aardige,' zegt Rik, 'die heb je toch ook, aardige heksen?' Stiekem hoopt hij dat de heks écht zo aardig is als ze vanmiddag leek.

Janine heeft al die tijd nog niets gezegd. Zeker erge honger. Nu doet ze haar mond open: 'Misschien dóet ze alleen maar of ze aardig is, om jullie te paaien.'

Rik kijkt met grote schrikogen naar papa. Die zegt enkel: 'Janine, houd je mond!'
Janine haalt haar schouders op. 'Je weet maar nooit,' zegt ze nog gauw. Dan eet ze haar bord leeg.

De volgende ochtend op school kan Wietske het weer niet laten. Ze vertelt van hun bezoek aan de heks in het ziekenhuis. In een mum van tijd staat er een kring kinderen om hen heen. Teun en de twee J's, Niki, Geertje. Er komen er steeds meer bij. Ook Gijs.
Rik ziet het wel: Gijs heeft zijn ogen samengeknepen van nieuwsgierigheid.
'Ze had gewoon een mensenpyjama aan,' zegt Wietske.
'Hoe ziet dat eruit? Een heks in pyjama?' vraagt Geertje. Haar brilletje zakt weer eens af. Ze duwt het nijdig een eindje omhoog.
'Nou, gewoon. Net als een oma, zo ongeveer.'
Gijs priemt met zijn wijsvinger naar Wietske: 'En d'r bezemsteel, stond die naast het bed?'
Wietske slaat zijn vinger weg. 'Niets van gezien hoor.'
'En liep ze nog langs het plafond?'
'Hoe kan dat nou met een gebroken heup!'
'En waarom kan ze zichzelf niet beter maken?' Nu port Gijs Rik in zijn buik.
'Dat weet ik ook niet hoor. Ze kan wel andere dingen.'
'Wat voor dingen?'
'Eh.. bloemen beter maken, dat kan ze wel.'
'Wie weet wat ze allemaal nog meer kan als haar heup weer heel is. Ik zou maar uit haar buurt blijven!'
Rik bijt op zijn lip. Hè! Waarom zegt Gijs dat nou. Is ie net een beetje aan de heks gewend, zegt hij zoiets! En er komt nog meer:
'Ik hoop dat ze nog heel lang in het ziekenhuis moet blijven.

Is de buurt tenminste weer veilig. Een heks hoort niet in een straat. Die moet maar in het enge bos gaan zitten, ver weg van de mensen. Daar hoort ze thuis.'
'Misschien kunnen ze haar wel gebruiken in de Efteling,' gniffelt Jan.
'Of in Disneyland,' zegt Jeroen, 'als ze hier maar wegblijft.'
'Echt weer iets voor de twee J's,' denkt Rik.

21

De heks is eerder thuis dan ze dachten. Al na twee weken. Ze hadden nog niet eens tijd gehad om nog een keer op ziekenbezoek te gaan.
Rik zag het het eerst. Het gordijn had weer bewogen toen hij er langs liep. Hij waarschuwde meteen Wietske: 'Ze is er weer.'
'Weet je het zeker?'
'Ja, het gordijn bewoog.'
'Misschien heeft ze je wel gezien. Zullen we een keertje naar haar toe gaan?'
'Nou, voorlopig even niet.'
'Wat bén je toch een schijterdje. Je hebt toch gezien dat ze hartstikke aardig is?'
'Misschien deed ze wel alsóf en wacht ze haar kans af.'
'Joh, doe niet zo stom! Ík ga in elk geval bij haar langs. Morgen, na school. Je kunt meegaan of niet, moet je zelf weten.'
De volgende dag is Rik de hele tijd aan het dubben: zal hij met Wietske meegaan of niet?
Hij maakt drie sommen fout en hij onthoudt niets van wat de juf zegt. Ze heeft al een paar keer verwonderd zijn kant uit gekeken maar gelukkig vraagt ze niets. Pas als de school uit-

gaat, tikt ze hem op de schouder, net als hij naar buiten wil lopen.

'Waar was jij met je gedachten vandaag?'

Rik haalt zijn schouders op. 'Nou, gewoon.'

'Noem jij dat maar gewoon. Je lette totaal niet op. Dat gebeurt vaker de laatste tijd. Waar hebben we het over gehad met geschiedenis?'

Rik peinst zich suf. Hij heeft geen idee. Vragend kijkt hij de juf aan. Ondertussen hoopt hij dat ze niet door blijft gaan. Hij weet opeens heel zeker dat hij met Wietske mee wil. Straks is ze weg!

'Vertel het eens, waar ging het over?' Ze kijkt meer bezorgd dan boos.

'Ik ben het vergeten,' zegt Rik.

'Dat dacht ik al. Je bent toch niet ziek? Of is er iets anders? Zeg het dan maar.'

'Er is helemaal niets,' zegt Rik, 'en ik ben ook niet ziek.'

Juf rommelt in haar tas en haalt er een geschiedenisboek uit. 'Alsjeblieft, dit is het boek waaruit ik verteld heb. 19. Neem het maar mee naar huis en lees het eens goed door. Morgen geef ik er een proefwerk over. Ik zou het heel akelig vinden als je een onvoldoende haalde. Zal je het echt doen?'

'Ja juf,' zegt Rik braafjes. Hij grist het boek uit haar handen en rent weg. Juf roept nog wat, maar hij hoort het niet meer. Hij moet Wietske inhalen!

'Ik ga met je mee,' zegt hij hijgend.

'Moet je zelf weten.' Wietske heeft er stevig de pas in. Hij kan haar haast niet bijhouden.

Bij nummer 13 staat ze stil. 'We zullen maar langs de voorkant gaan.'

Ze moet op haar tenen gaan staan om bij de ouderwetse trekbel te kunnen. Vlak achter de voordeur horen ze woest geklingel.

Er gebeurt niets.

'Misschien is ze er toch niet,' zegt Rik opgelucht.

Wietske kijkt hem minachtend aan. 'Suffie, ze heeft toch een gebroken heup, dan kan ze niet zo vlug lopen!'

Na een tijdje vindt zelfs Wietske het te lang duren. Ze rukt nog eens aan de bel.

Eindelijk horen ze een slepend geluid onderbroken door een klak. 'Tssssssssssssjjjjjj-klak! Tssssssssssssssjjjj-klak!' Aan de andere kant wordt aan de deur gemorreld. Dan rammelt de ketting en ze horen twee grendels wegschuiven. De deur gaat op een kiertje open. De heks steekt voorzichtig haar neus naar voren. Argwanend kijkt ze met haar doorzichtige ogen wie er is. Met haar ene hand houdt ze een paarse ochtendjas tegen haar lijf gedrukt. Je ziet nog net een klein stukje van haar pyjama.

'Wíj zijn het,' zegt Wietske, 'Rik en ik! We komen kijken hoe het met u gaat.'

'Och ja, nu zie ik het!' De deur gaat iets verder open. 'Het gaat wel. Het is behelpen met krukken en zo, maar het gaat wel.'

'We komen op de thee. Dat had u in het ziekenhuis toch gevraagd?'

'Díe durft!' denkt Rik. Gespannen kijkt hij naar de heks.

Die aarzelt. 'Ja, ja, dat is waar, maar ik was aan mijn middagslaap bezig. Kunnen jullie morgen terugkomen, om half vijf?'

'Best hoor,' zegt Wietske, 'tot morgen dan.'

Ze springt van het stoepje. De deur valt achter hen dicht.

Als ze op veilige afstand van nummer 13 zijn zegt Rik: 'Ze was vast weer vreemde dingen aan het doen.'

'Ach welnee,' zegt Wietske schamper, 'hoe kan je nou vreemde dingen doen als je op krukken loopt! Morgen gaan we weer.'

22

Op de dag dat ze voor het eerst bij de heks op de thee gaan, is het weer gebeurd: Er zitten opnieuw rode vlekken tegen de gevel van nummer 13.
Geschrokken staan Rik en Wietske ernaar te staren. Wie kan het nou toch gedaan hebben? Het is in elk geval iemand die in de gaten heeft, dat de heks weer thuis is.
'Kunnen we nu nog wel op de thee gaan?' vraagt Rik zich af.
Wietske kijkt hem verontwaardigd aan. 'Waarom niet?'
'Straks krijgen we nog tomaten tegen ons hóófd.'
'Dat zou ik best willen, dan weten we meteen wie het doet. Jij moet zelf weten wat je doet, ík ga vanmiddag.'

Het is precies half vijf. Opnieuw staan ze voor de ouderwetse deur en opnieuw geeft Wietske een ruk aan de bel. Ze weten nu dat het lang kan duren. Ze gaan zolang op het stoepje zitten. Langzaam gaat de deur open. Daar staat de heks, hangend tussen twee krukken. Haar bloemetjespyjama is verruild voor een bloemetjesjurk.
'Kom binnen, kom binnen,' zegt de heks. Ze gaat hen voor door de schemerige gang. Met een slakkengangetje gaan ze achter haar aan de kamer in.
'Ga maar zitten,' hijgt ze en wijst met haar ene kruk naar de tafel. Daar omheen staan vier stoelen met hoge, rechte houten ruggen en ook nog twee stoelen met armleuningen. De zittingen zijn van donkerrood fluweel. Verlegen gaan ze zitten. Op de tafel staat al een pot thee op een glanzend theelichtje. Er staan bloemetjeskoppen bij.
'Lusten jullie kruidenthee?'
'Ik zou het echt niet weten,' zegt Wietske. Ook Rik trekt een gezicht van 'Geen idee.'

'Ik kan het jullie echt aanraden hoor,' zegt de heks, 'het is reuze gezond.'

Rik hoopt het maar. Hij heeft liever gewone thee van een theezakje. Je weet maar nooit wat hier in zit. Hij gluurt nieuwsgierig in het rond.

'Wil jij het inschenken, meisje, het gaat zo lastig met die krukken.'

'Ik heet nog steeds Wietske,' zegt Wiets.

'En ikke Rik,' zegt Rik.

'Ik heet nog steeds Frieda di Mare, zeg maar Frieda,' zegt de heks. Ze gaat moeizaam op een stoel zitten. Wietske probeert zo netjes mogelijk in te schenken. De thee is niet bruin zoals thuis, maar lichtgeel. Het ruikt een beetje naar stro.

De heks schuift een koektrommel hun kant uit. Gelukkig, er zitten gewone speculaasjes in. 'Zelf bakken lukt me nu niet,' zegt de heks, 'ik bak meestal havermoutkoekjes. Nu moet de buurman alles voor me halen, maar morgen komt mijn zus gelukkig.'

Rik en Wietske kijken elkaar aan. Dat is waar ook, de heks heeft tóch een zus! Zou die ook heks wezen?

'M'n zus is een beetje eigenaardig,' zegt de heks alsof ze hun gedachten kan lezen.

Weer kijken Rik en Wietske elkaar aan met een blik van: Ja, da's nogal logisch!

'Kan die ook hek… eh… toveren?' vraagt Rik.

'Nou nee, zo zou ik het niet noemen. Ze is een beetje wild en heeft veel fantasie.'

In de stilte die volgt horen ze de klok plechtig tikken. Iedereen zit even in gedachten verdiept. Dan vraagt Wietske voorzichtig:

'Heeft u het al gezien?'

'Wat gezien?'

'Tegen uw huis, eh… die dingen die op tomaten lijken?'

'O help! Toch niet weer hè? Hebben ze het weer gedaan?'
Rik en Wietske knikken allebei van ja. De heks wringt haar handen. 'Ik wou dat ik wist wie het deed! Het gebeurt altijd 's morgens heel vroeg. Weten jullie wie het doet?'
Nu knikken ze heftig van nee.
'Als ik echt kon toveren,' zegt de heks, 'en ik wist wie het deed, dan toverde ik hem om tot tomaat en plakte hem tegen de gevel bij de andere.' Meteen slaat ze haar hand voor haar mond, alsof ze iets heel ergs gezegd heeft.
Rik rilt eventjes. Misschien kán ze wel echt toveren en zijn die tomaten aan de muur betoverde kinderen.
'Kúnt u dan niet echt toveren?' vraagt Wiets.
'Wat ik kan, dat kun je geen toveren noemen. Het is meer dat je over sommige dingen een beetje baas bent. Soms kan ik iets míjn wil opleggen.'
'Kunt u die tomaten dan niet terugsturen naar waar ze vandaan komen?'
'Nee, dat heb ik al geprobeerd,' zegt de heks spijtig, 'dat kan misschien alleen op het moment dat ze gegooid worden, en dat zie ik nooit. Ik ben altijd te laat en nu natuurlijk helemaal.'
'Ik weet iets!' zegt Wietske. Ze zwijgt even om het spannend te maken. Dan zegt ze: 'We kunnen morgenochtend op de loer gaan liggen en kijken wie het doet.'
'Doe jíj dat maar,' zegt Rik, 'ik zie het niet zitten.'
'Ik wel. Dan ga ik toch alleen?'
'Zou je dat wel doen?' De heks is echt bezorgd.
'Ze hoeven míj toch niet te zien? Ik verstop me wel ergens.'
'Zou je dat echt wel doen?' zegt de heks nog eens.
Wietske steekt haar neus in de lucht. 'Ik wel!'
Rik proeft van de thee. Hij zou er wel wat suiker in willen hebben.
De thee smaakt zoals hij ruikt: naar stro.

23

Als ze aan hun derde kopje thee beginnen klinkt er opeens een klaaglijk geluid. Wietske gaat met een ruk rechtop zitten. Rik verslikt zich bijna.

Het is de kamerdeur die vanzelf open gaat. Tergend langzaam. De heks ziet hen verstijven. 'Jullie hoeven niet zo te schrikken. Het is de kat maar!'

Daar komt ze binnen: groot, zwart en met helgroene ogen. Haar staart omhoog in de vorm van een vraagteken. Ze kijkt hen één voor één doordringend aan. Ze krijgen het gevoel alsof de kat hen weg wil kijken. Als een slang schuift ze langs de poten van hun stoelen. Eerst die van Rik, dan die van Wietske. Alsof ze wil zeggen: 'Dit is mijn terrein.' Ze trekken hun benen zo ver mogelijk onder de stoel.

'Niks van aantrekken,' zegt de heks en dan tot de kat: 'Cleopatra, op je plaats!'

Cleopatra schrijdt hooghartig naar een fluwelen kussen naast de oude kachel. Daar loopt ze driemaal een rondje achter haar eigen staart aan. Eindelijk gaat ze zitten. Rechtop en statig als een koningin. Ze kijkt hen onafgebroken aan met die doordringende ogen van haar.

Rik weet opeens weer wat hij de heks wilde vragen. Met een schuin oogje op de kat vraagt hij: 'Die glazen bol daar, is dat uw toverbol?'

'Daarin kan ik soms de toekomst zien als ik me heel goed concentreer.'

Rik veert op. 'Maar dan kunt u toch ook zien wie er morgen tomaten gaat gooien?'

'Nee, helaas. Voor mezelf werkt het niet.'

'Wat kan u dan wél zien?' vraagt Wiets.

'Wel, bijvoorbeeld dat kettinkje van jou, dat heb je van je oma gekregen.'

Wietske grijpt naar haar hals waar het gouden roosje van oma hangt. 'Hoe weet u dat?'

'Dat kan ik niet zeggen, ik wéét het gewoon. Het komt bij me binnen. Mag ik het kettinkje eens vasthouden?'

Wietske peutert het los en legt het voor de heks op tafel. Die laat het door haar hand gaan en zegt peinzend: 'Ik zie haar voor me, ze zit in een grote lichtgroene leunstoel. Ze heeft korte grijze krulletjes en een gouden leesbril. Ze is vorig jaar gestorven, klopt dat?'

Stomverbaasd knikken ze van 'ja'.

'Hoe weet ze dat?' denkt Rik koortsachtig.

'Ze was erg goed in pianospelen,' mijmert de heks verder, 'ze is gek op haar kleinkinderen, nóg steeds, ook al is ze niet meer hier.'

Rik en Wietske zitten met open mond te luisteren. De heks ziet hun verbazing.

'Praat er maar niet met anderen over,' zegt ze verlegen, 'ik heb dit nu eenmaal. Ik kan er niets aan doen. De mensen begrijpen het niet en vinden het eng. Soms kan ik ook bij mensen pijn wegnemen.' Ze geeft Wietske de ketting weer terug.

'Hoe doet u dat dan?' vraagt ze.

'Ik leg mijn hand op de zere plek en dan komt er warmte door en gaat de pijn over.'

'Tssjj,' zegt Rik, 'dat is toch toveren.'

'Nee, dat is geen toveren. Ik weet niet wat het is. Ik héb het gewoon. Niet verder vertellen hoor, want dan noemen ze me een heks en dan komen er nog meer tomaten tegen de muur.'

Rik en Wietske kijken ongemakkelijk. Rik heeft een kleur gekregen. Hoe vaak heeft hij de heks al niet 'heks' genoemd? Maar dat ís ze toch ook, met die enge kat van haar en die kruiden en die glazen bol. En dat ze dingen weet die ze niet kán weten? Goed, ze is geen geméne heks, daar is hij nu wel

74

achter. Maar je kunt haar toch ook niet een gewoon mens noemen?

Wietske vindt het allemaal reuze spannend. 'Dat u dat allemaal kán!' zegt ze opgetogen, 'enne... eh... hoe moeten we u dan wél noemen?'

'Frieda, dat had ik toch al gezegd? Ik zou het echt leuk vinden als jullie me gewoon Frieda noemden.'

Ze zeggen het zachtjes voor zich heen. Frieda... Frieda... Het blijft wennen.

'Komt u uit het buitenland?' vraagt Rik.

'Waarom vraag je dat?'

'U heeft een vreemde achternaam.'

'Di Mare, ja. Ik denk dat mijn betovergrootvader uit Italië kwam. Ikzelf kom gewoon uit Drenthe.'

Rik begrijpt het opeens. 'Dus u had een betóvergrootvader, daar komt het natuurlijk van!'

Frieda begrijpt het juist niet. 'Wat bedoel je?'

'Dat toverachtige.'

Frieda schiet in de lach. 'Ik had het over mijn bétovergrootvader, dat betekent over-overgrootvader!'

'Oh,' zegt Rik ontgoocheld. Hij schuift verlegen op zijn stoel heen en weer.

Wietske staat op. 'Eh... Frieda, we moeten nu naar huis. Morgen ga ik op de loer staan en dan hoort u het wel. Dankuwel voor de thee.'

Frieda knikt vriendelijk. 'Komen jullie er zelf wel uit?'

'Tuurlijk. Dag Frieda!' Wietske loopt naar de gang.

Rik loopt achter haar aan met een grote boog om de kat. Bij de deur draait hij zich nog even om. 'Dag Frieda.' zegt hij ook.

Ze lopen de donkere gang door, naar buiten.

'Pffft!' zegt Rik als ze de voordeur achter zich dicht trekken, 'het blijft toch wel vreemd allemaal.'

'Schijterd!' zegt Wietske. Met grote passen loopt ze voor hem uit naar huis. Haar rode krullen dansen op de maat.

24

Thuis vertellen ze alleen dat het gezellig was, en dat het een stuk beter gaat met Frieda.

's Avonds voor het slapen gaan, komt Wietske stiekem nog even op de kamer van Rik. Die ligt al in bed.

'Ga je morgenvroeg nu mee of niet?' vraagt ze.

'Ik weet het niet. Papa en mama zullen het zeker merken als we met z'n tweeën gaan.'

'Misschien is het ook wel goed dat je niet meegaat. Als pap en mam iets merken, kan jij iets verzinnen.'

'Wat verzinnen?'

'Iets om uit te leggen waarom ik er niet ben.'

'Ik vind het stom dat je gaat,' zegt Rik, 'verbeeld je dat die tomatengooiers je zien!'

'Daar kijk ik heus wel voor uit. Ik gá gewoon! Ik sta heel vroeg op en glip weg. O wee als je iets aan pap en mam verklapt! Ik ben al lang terug vóór ze wakker worden.'

'Toch vind ik het stom,' bromt Rik en draait zijn gezicht naar de muur.

Wietske sluipt naar haar kamer. Rik probeert te slapen maar dat lukt niet erg. Hij is bang dat hij niet op tijd wakker wordt.

Toch moet hij in slaap gevallen zijn, want hij heeft gedroomd. Hij droomde dat hij in de ballenbak van het warenhuis speelde en dat die ballen opeens veranderden in tomaten. Hij zat onder de smurrie en wilde eruit, maar dat ging niet. Met zijn geworstel trapte hij steeds meer tomaten tot moes. Hij verdronk bijna in het tomatensap en riep keihard om hulp.

'Wat ís er toch?' Mama staat ongerust voor zijn bed. Ze heeft haar nachtpon nog aan. Haar rossige haar staat alle kanten op. Het is nog donker buiten.

'Ik heb naar gedroomd.'

Opeens staat papa ook in de kamer. 'Waar is Wietske?' vraagt hij opgewonden. 'Ze ligt niet meer in haar bed!'

'Wat?' zegt mama verschrikt. Ze beent met fladderende nachtpon naar de andere slaapkamer. Met een vaartje komt ze weer terug. 'Waar is Wietske?' Het klinkt onheilspellend.

'Wietske? Die... die...'

'Kom! Vertel verder!'

Rik denkt koortsachtig. Stom, hij had gisteravond al iets moeten verzinnen voor het geval dat... Hij hoort Janine van de zolderkamer komen. 'Wat een lawaai, ik kan niet slapen!'

Ondertussen heeft Rik iets bedacht: 'Wiets die, eh die had aan de hèk... eh aan Frieda beloofd, dat ze de kat even naar buiten zou laten.'

Papa is woest. 'Moest dat zó vroeg? Dat kan juffrouw di Mare toch niet bedoeld hebben. Het is notabene bijna nog nacht!'

'Die kat moet al heel vroeg heel erg nodig, anders doet ie het in huis, zegt Frieda enne, Frieda kan zelf niet zo vlug uit haar bed komen met d'r krukken enne... anders moet die kat helemaal wachten tot haar zus komt. Die zus komt Frieda helpen zie je, maar die is er nog niet en toen dacht Wiets eh... toen dacht Wiets: ik kan dat wel effe doen en toen zei ze dat tegen Frieda. Die zei nog: het hoeft niet, maar ja, ze wou toch. En ik zei ook nog... maar ze wou persé en nu is ze dus weg. Ze zal heus wel terugkomen.'

Hij is helemaal buiten adem.

Janine moet ook nog zo nodig wat zeggen: 'Nou ja zeg, moet het hele huis daar dan van op z'n kop staan? Ik heb straks een proefwerk. Ik heb mijn slaap hard nodig. Als ze nóg eens wat

weet!' Mopperend loopt ze de zoldertrap op.

'Hoe lang is Wietske al weg?' vraagt mama. Ze is echt onge-rust.

Rik haalt zijn schouders op. 'Ik denk nog niet zo lang. Ze zal zo wel terugkomen.'

'Hoor es hier,' zegt papa, 'ik vind het prima dat jullie bij juf-frouw di Mare op de thee gaan. Het is ook goed dat jullie haar helpen, maar doe dat dan gewoon overdag en niet bij nacht en ontij. Ik denk dat ik Wietske maar eens ga ophalen.'

Riks haren gaan van schrik bijna overeind staan. 'Da's toch niet nodig pap, ze weet toch zelf de weg wel, ze...'

Beneden piept een deur. 'Zie je wel, daar is ze al! Niks aan de hand!'

Papa dendert de trap af met mama achter zich aan.

'Zó jongedame, waar komen wij vandaan?' klinkt het bars van beneden.

Dan Wietskes stem: 'Ikke?'

'Ja, jij!'

'Ikke moest even een frisse neus halen, ik had het zó benauwd in bed!' hoort Rik Wietske zeggen. Hij knijpt zijn tenen bij elkaar. Laat ze nu het goede zeggen, straks wordt alles verra-den. Daar hoort hij papa weer. Rik gluurt over de trapleu-ning. Hij ziet Wiets met haar jas over haar pyjama.

'Ja, ja, en er moest nóg iemand een frisse neus halen hè? Vertel het maar!'

'Wie dan? Ik had al genoeg aan mijn eigen neus.'

'Beken maar dat het die kat van juffrouw di Mare is!'

'Die kat van nummer 13? Oh, Cleopatra! Ja, die ben ik toe-vallig nog tegengekomen. Die gekke kat, het is eigenlijk een eigenwijze rotkat die..'

Rik krimpt in elkaar. Laat ze nu haar mond houden, ze maakt het alsmaar erger.

'Luister goed,' zegt papa bars, 'jij hoort op deze tijd niet buiten te lopen. Dit is de laatste keer. Vooruit, naar je kamer! Als het nog één keer gebeurt, zal ik eens met juffrouw de heks eh di Mare gaan praten. En nu naar boven!'

Rik schiet zijn kamer in. Papa zei 'heks'. Zie je wel, papa gelooft ook dat ze een heks is. Hij kruipt terug in zijn bed. Hij hoort de andere slaapkamerdeuren dichtslaan. Het is zes uur. Er wordt een krant in de bus gestopt. De brievenbussen in de straat klepperen één voor één, steeds verder weg.

Nu heeft hij niet eens kunnen vragen wat Wietske gezien heeft.

25

Pas op weg naar school kan Wiets het vertellen: 'Ik weet wie het is.'

'Vertel op, wie dan?'

'Het is de krantenjongen en dat is de broer van Gijs, die Remco. Ik dácht het wel!'

Rik blijft even staan. 'En wat nu?'

'Zorgen dat hij het nooit meer doet.'

'Ja, maar hoe dan? Remco is al zestien en hij heeft heel sterke vrienden. Die kunnen we toch niet aan?'

'Papa zegt altijd: wie niet sterk is moet slim zijn. We moeten iets verzinnen.'

'Waar had je je eigenlijk verstopt vanmorgen?'

'Aan de overkant van de gracht. Daar hebben de huizen voortuinen met heggen. Daar ben ik achter gaan staan. Het was nog wel een beetje donker, maar ik herkende hem toch.'

'Zó! Dat is goed bekeken! Maar nu weten we nog steeds niet hoe we hem te pakken kunnen nemen.'

'Misschien kunnen we samen met Frieda een plannetje bedenken.'

Ze zijn bij de school. Met een grote boog lopen ze om Gijs heen. Hij moest eens weten wat ze wisten!

Na school gaan ze op een drafje naar nummer 13. Rik wil zijn zus niet in de steek laten. En... al vindt hij Frieda nog zo vreemd, hij vindt het zielig voor haar dat ze tomaten tegen haar huis gooien.
Wietske rukt uitbundig aan de bel. De deur gaat bijna meteen open. Ze haalt al adem om het grote nieuws te vertellen. Halverwege blijft haar mond openstaan. Het is niet Frieda die open doet. Het is heel iemand anders! Voor hen staat een kleine vrouw met felblond haar, dat als een piekerige stralenkrans om haar hoofd staat. Twee bruine ogen kijken hen fonkelend aan. Rik heeft nog nooit zulke donkerbruine ogen gezien. Bijna zwart. De vrouw heeft een kort jack van blauwe spijkerstof aan en een rok van dezelfde stof. Cleopatra staat naast haar met gebogen rug en de staart omhoog.
'Wie zijn jullie?' vraagt ze met een stem alsof ze sigaren rookt.
'Wij komen voor Frieda,' zegt Wietske, die bijna nooit bang is.
'Dat vroeg ik niet. Ik vroeg wie jullie zijn.'
'Oh, nou eh... ik ben Wietske en hij daar is Rik, mijn broer.'
'Wat komen jullie doen?' De ogen schieten vuur.
'We komen op bezoek bij Frieda.'
De vrouw haalt haar neus op. 'Weet je zeker dat ze dat leuk vindt? Ík denk van niet.'
'Ík denk van wel, we zijn hier al vaker geweest.'
'Met tomaten zeker.'
'Nee, daar komen we juist voor. We weten wie het doet.'
'O ja? Zijn dat vrienden van jullie?' Het klinkt nors.
'Nee, natuurlijk niet! Bent u, eh bent u hier ook op bezoek?'
'Ik ben Mirta, de jongere zus van Frieda.'

Rik en Wietske zetten grote ogen op. De zus van Frieda? Ze lijkt er helemaal niet op. In de verste verte niet!

'Vooruit, komen jullie nog binnen?'

Die is goed zeg! Ze bleef toch zelf al die tijd midden in de deuropening staan! Maar nu gaat ze dan toch opzij en laat hen door.

'Ze zit in de kamer,' bromt ze.

Frieda kijkt verrast op. 'Zo kinderen! Zijn jullie daar alweer? Ga zitten.'

Voor het eerst doet Rik zijn mond open: 'Wietske heeft gezien wie het gedaan heeft.'

De ogen van Frieda lichten op. 'O ja?'

'Ja!' zegt Wietske triomfantelijk.

Ondertussen is Mirta ook binnengekomen met Cleopatra achter zich aan. 'Zeg het dan eens gauw, ik lust ze rauw!'

'Het is Remco, de broer van Gijs. Gijs ter Geef heet ie. Hij zit bij ons op school. Die broer is al veel ouder. Ze hebben thuis een groentewinkel.'

'Dat verklaart veel,' zegt Frieda, 'hoe kom je anders aan zo'n boel tomaten.'

'Ja hoor eens,' zegt Mirta, 'míjn buurman is slager, die gooit toch ook geen gehaktballen tegen een ander z'n huis! Zoiets doe je toch niet?'

'Remco wel dus,' zegt Wietske.

'Maar waarom dan? Frieda heeft nog nooit in haar leven een vlieg kwaad gedaan!'

Rik schraapt zijn keel. 'Ik denk toch dat ze bang voor Frieda zijn.'

'Bang voor Frieda???' stoot Mirta uit. 'Wie is er nu bang voor Frieda? Ik heb nog nooit zo'n goed mens gezien.'

Rik moet weer kuchen. 'Ja eh, ze denken dat ze een boze heks is.'

Mirta gooit zich achterover in de stoel van het lachen. 'O

Frieda, hoe komt dat nu toch,' hikt ze, 'ben je weer aan het toveren geweest bij de supermarkt of zo? Heb je alle kassa's weer op hol laten slaan?'

'Nee, echt niet. Ik zweer het Mirta, echt. Ik heb alleen maar één keertje heel eventjes iets aan deze kinderen laten zien. In het ziekenhuis, verder niets.'

'En ik heb u een keer langs het plafond zien lopen met de kat. Daarom heeft u natuurlijk uw heup gebroken.'

'Wat zeg je?' Nu barst Frieda in schaterlachen uit. Ze hebben haar nog nooit eerder zo hard zien lachen. 'Wát heb je me zien doen?'

'Langs het plafond zien lopen, de kat was er ook bij.'

Frieda blijft er bijna in. 'Hoor je dat Mirta?' hikt ze, 'Hoor je wat ze daar zegt? Langs het plafond lopen! Kón ik dat maar! Dan had ik zo die smurrie van de gevel kunnen halen.'

'Maar Wietske heeft het zelf gezien,' zegt Rik, 'op een avond, toen het donker was.'

'Op welke plek zag je dat dan?'

Wietske wijst schuin naar een hoek van het plafond.

'En was het bijna donker? Die is goed zeg!' Frieda denkt diep na. De kat fleemt langs haar been. 'Toen het bijna donker was? Had ik de schemerlamp al aan?'

'Ja, er was licht aan,' zegt Wietske, 'dus ik heb het goed kunnen zien.'

Frieda buigt zich voorover en kijkt Wietske recht in het gezicht. 'En je weet zeker dat je niets aan je ogen mankeert?'

'Mijn ogen zijn hartstikke goed.'

'Misschien moet je toch eens aan een brilletje.'

Wietske schrikt. 'Hoezo?'

'Omdat ik denk dat je míj niet tegen het plafond hebt zien lopen, maar mijn schaduw. Mirta? Doe de leeslamp eens aan?'

Mirta doet wat haar gevraagd wordt. Een kleine, felle lichtbundel schijnt hen recht in het gezicht. Ze knipperen met hun ogen.

'Nu moet je daar gaan staan Mirta, zodat je het licht achter je hebt.'

Ze zien de schaduw van Mirta uitvergroot op de muur en half op het plafond. Mirta grijnst, maakt klauwende bewegingen met haar handen en gekke passen met haar benen. Langs de muur en het plafond kronkelt een griezelig wezen.

Rik en Wietske hebben een kleur gekregen.

'Tja,' zegt Frieda, 'schijn bedriegt. Ik kan misschien wel dingen die een ander niet kan, maar langs het plafond lopen kan ik niet. Trek in een kopje thee?'

26

Mirta komt binnen met de theepot en de kopjes. Eigenlijk heeft Rik veel meer zin in cola.

'Volgens mij heb je liever cola,' zegt Mirta, 'maar dat heeft Frieda niet in huis. Pech!'

Rik hapt naar adem. Hoe wéét ze dat? Kan ze door hem heen kijken? Wat een eigenaardig huis is dit toch!

Mirta geeft hem een vriendschappelijk stompje tegen zijn bovenarm. 'Wees maar niet bang. Alle jongens lusten toch cola? Het is een kwestie van inleven.'

Frieda schenkt de thee in en houdt hen de trommel met speculaasjes voor, terwijl ze zegt: 'Nu moeten we iets bedenken om die jongen eh... hoe heet hij ook alweer?'

'Remco,' zeggen Rik en Wietske tegelijk.

'Om die Remco het tomaten gooien af te leren.'

'We kunnen de politie bellen,' zegt Mirta.

Frieda vindt het niet zo'n goed idee. 'Dat kunnen we altijd nog doen. Laten we eerst proberen het zelf op te lossen, maar hoe?'

'We laten hem eens flink schrikken,' oppert Mirta weer, 'ik ga achter het voordeurraampje staan en roep heel hard boeh.'

'Ik denk niet dat dát veel indruk maakt.'

'Dan gooi ik een emmer water over hem heen.'

'Hm.' Frieda kijkt bedenkelijk.

'De tuinslang dan?'

'Hm.'

Rik denkt aan de leeslamp. 'We zetten opeens een grote schijnwerper aan en dan ziet iedereen wat hij doet.'

'Of een luidspreker!' roept Wietske, 'en die zegt dan heel hard over de straat: 'Remco ter Geef, wat doe jij daar met die tomaten?'

'Hm.' doet Frieda weer.

'Ik weet het al!,' zegt Mirta opgetogen, 'ik maak een grote pan tomatensoep en gooi die dan over hem heen! Krijgt ie een koekje van eigen deeg.'

Frieda schudt haar hoofd. 'Nee, dat vind ik te erg. Je hoeft hem niet te verbranden.'

'Kóude tomatensoep dan?'

'Als híj met eten gooit, dan hoeven wij het niet óók te doen. Ik vind het erg als mensen met eten gooien. Denk es aan al die landen waar ze honger hebben!'

'Dan nemen we toch rótte tomaten. Elke groenteboer heeft wel ergens een kistje met afvaltomaten staan.'

'Zo komt Remco er natuurlijk ook aan,' zegt Wietske wijs.

Mirta kijkt strijdlustig. 'Laat het maar aan mij over. Ik kom heus wel aan rotte tomaten. Ik ga gewoon naar de zaak van Remco z'n vader, en vraag of hij tomaten heeft die hij niet meer verkopen kan. Ik zeg gewoon dat ze voor de soep zijn.' Ze giechelt gemeen. 'Hij moest eens weten voor welke soep! Ik ga nu meteen.'

'Zou je dat nu wel doen, Mirta?' vraagt Frieda bezorgd.

'Ja,' zegt Mirta , 'mijn besluit staat vast. Waar is die groente-winkel precies?'

'In de Pietersstraat,' zegt Wietske opgewonden, 'zal ik mee-gaan?'

'Nee, ik vind het wel. Blijven jullie maar even bij Frieda, ik ben zo terug. Ik ga met de bezemsteel.' Rik ziet nog net dat ze knipoogt naar Frieda.

Even later horen ze de voordeur dichtklappen en zien ze de schim van Mirta langs de gordijnen gaan. Te voet. De kat blijft onrustig bij de kamerdeur heen en weer lopen.

'Nog een kopje thee?' vraagt Frieda. Wietske wil nog wel. Rik kan geen thee meer zien. Hij krijgt er zo'n weeïg gevoel van. Hij knikt van nee.

'Die Mirta, als zij in de buurt is, gebeurt er altijd van alles,' zegt Frieda. 'Ze is voor niets of niemand bang. Ze kan er niet tegen als er iets oneerlijks gebeurt. Dan kan ze een flinke rel schoppen. Ik hoop maar dat ze het niet te erg maakt. Ze kan iemand de huid vol schelden, maar ze heeft een hart van goud. Ze heeft al heel wat meegemaakt in haar leven. Veel verdriet en moeilijkheden, maar ze laat zich niet klein krij-gen.'

'Remco is geen lieverdje,' zegt Wietske.

'En hij heeft akelige vrienden,' voegt Rik eraan toe, 'met van die enge tatoeages.'

Frieda roert nadenkend in haar kopje. 'Niet iedereen met een tatoeage is slecht. Bovendien is Mirta heel dapper. Ik denk dat Remco een lafaard is, want hij durft het alleen in het don-ker.'

Ze drinken hun thee en wachten. Frieda blijft in haar kop-je roeren alsof er bergen suiker in zitten. Wietske wiebelt ongedurig met haar benen. Cleopatra is op haar kussen gaan zitten. De grote klok aan de muur tikt met haar koperen slin-ger langzaam de minuten weg. Rik telt de tikken. Steeds opnieuw tot elf. De elfde tik is steeds iets harder dan de andere.

27

'Ze zal zeker wel twintig minuten wegblijven,' zegt Frieda.
Wietske kijkt door het raam. 'We moeten wel om vijf uur thuis zijn,' zegt ze, 'anders worden ze daar heel boos. Zeker na vanmorgen.'
Frieda wijst naar het spannende tafeltje. 'Geef die kaarten maar eens aan, dan hebben we wat te doen. Zo gaat de tijd sneller.'
Frieda schudt de kaarten en zegt tegen Rik en Wietske: 'Pak maar een kaart. Niet aan míj laten zien hoor.'
Ze pakken ieder een kaart en verbergen hem op hun knieën onder het wollige tafelkleed.
'Nu moeten jullie stiekem kijken wat voor kaart het is. Niks zeggen!'
Rik kijkt. Hij heeft klaver zeven. Hij is benieuwd wat Wietske heeft.
'Nu moeten jullie heel hard aan je kaart denken en hem dan weer tussen de stapel stoppen. Wél zorgen dat ik hem niet kan zien.'
Omzichtig duwen ze de kaart weer tussen de andere.
Frieda schudt de kaarten langdurig. Dan legt ze die in een waaier open.
'Aan je kaart denken,' zegt ze.
Haar vinger gaat over de waaier. Ze pakt er een kaart tussen uit. Het is ruiten twee. Frieda wijst ermee naar Wietske. 'Die had jij!'
'Hoe wéét u dat?' vraagt Wietske. Frieda haalt haar schouders op. 'Tja, dat weet ik gewoon. Nu Rik.'

Ze kijkt hem even onderzoekend aan en dan naar de kaarten. Rik kijkt gespannen toe. Zou ze die van hem ook weten? Frieda's vinger gaat van links naar rechts over de kaarten en stopt bij een kaart. Klaver zeven. 'Dat is hem,' zegt ze, 'waar of niet?'

Riks mond zakt open. Hij knikt sprakeloos van ja. Het is hem. Hoe kan ze dat nu toch weten?

Frieda glimlacht. 'Ach,' zegt ze, 'elke goochelaar kan dit. Het is een trucje, maar ik verklap niets.'

Ze doen het nog een paar keer. Opeens zegt Frieda: 'Jullie oma hield ook erg van kaarten. Ze was er heel goed in.'

Ze verbazen zich nergens meer over. Het klopt. Oma ging twee keer in de week met opa naar de kaartclub in hun dorp. Frieda schudt de kaarten opnieuw. 'Zullen we nog een spelletje doen?'

Maar het hoeft niet meer. Ze zien de schaduw van Mirta langs de ramen gaan. Ze sjouwt iets. Direct daarop horen ze hoe de sleutel in het slot van de voordeur wordt gestoken. Vol spanning kijken ze naar de kamerdeur. Mirta heeft hem met haar elleboog open gedaan. Met haar achterste geeft ze de deur een zet, tot die weer dichtvalt. Plof! Daar staat een groentekistje op tafel. 'Alsjeblieft, dit zijn de rotste tomaten die ik krijgen kon. Een hele kist. Ik hoefde er niets voor te betalen. "Het is toch afval," zei die groenteman.'

Frieda giechelt. 'Hij moest eens weten voor wie ze voor waren.'

Mirta giechelt mee: 'Voor zijn bloedeigen zoon!'

'Eigenlijk wel gemeen,' zegt Frieda opeens aarzelend.

'Ben je gek meid,' komt Mirta fel, 'moet ie zijn zoon maar beter opvoeden. Díe is pas gemeen!'

'Wat gaat u nu doen?' vraagt Wietske.

'Ik ga er soep van koken. Soep met veel sliertjes en die krijgt hij morgenvroeg over zich heen.'

'Ja, maar hóe dan?'
'Nou, dat is toch simpel? Ik wacht hem op, in het slaapkamertje boven de voordeur. Als híj tomaten gooit, gooi ík die soep.'
Wietske kijkt bezorgd. 'Ja, maar als hij dan te ver weg staat?'
'Hij moet toch een krant in de bus stoppen? Op dat moment gooi ik.'
Rik en Wietske proberen zich voor te stellen hoe dat zal zijn. Remco, die opeens een golf oranjerode smurrie over zich heen krijgt.
'Zijn moeder zal het niet leuk vinden,' zegt Frieda, 'tomatensoep geeft gemene vlekken.'
'Niks aan te doen,' zegt Mirta resoluut, 'dan hoop ik dat ze die knul vraagt hoe hij daaraan komt.'
'Oh help! We moeten naar huis!' zegt Wietske geschrokken, 'ik wou dat we erbij konden zijn, maar dat lukt nooit. Ik kan niet nog eens 's morgens vroeg wegglippen. Wat jammer.'
'Ik zal je in geuren en kleuren vertellen hoe het gegaan is,' belooft Mirta, 'ga nu maar gauw. Kom morgen na school maar horen hoe het afgelopen is.'
Ze zeggen Frieda gedag. Mirta laat hen uit. 'Tot morgen!' zegt ze samenzweerderig.
'Ja, tot morgen.' Ze haasten zich naar huis.

28

Thuis vertellen ze niets. Mama zet de soeppan op tafel. Het is tomatensoep! Rik en Wietske kijken elkaar aan met de lepel tegen hun lip.
Moeders merken alles. Mama kijkt Rik en Wietske onderzoekend aan. 'Zijn jullie weer iets aan het uitbroeden?'

Wietske trekt haar onschuldigste gezicht. 'Wie? Wij? Helemaal niet! Er is niets aan de hand.'

Rik verslikt zich in een hap. Papa legt zijn soeplepel neer. 'Maak dat de kat wijs! Er is iets met jullie. Eerst Rik, die een nachtmerrie heeft. Dan Wietske die in alle vroegte slaapwandelt. Jullie komen steeds vaker te laat thuis en nu verslikt Rik zich in de tomatensoep. Mama heeft gelijk, er broeit iets. Rik, vertel op!'

Rik verslikt zich bijna voor de tweede keer. Proestend brengt hij eruit: 'Er is niets bijzonders, pap, helemaal niets.' Bij de volgende hap slurpt hij per ongeluk.

'Slurp niet zo,' zegt Janine.

'Ach, je slurpt zelf.'

'Niet waar, jíj slurpt!' Ze geeft Rik een zetje tegen zijn elleboog.

Mama grijpt in: 'Jongens, maak nu geen ruzie om een kleinigheid.'

Rik houdt zich in. Gelukkig, papa's opmerkingen worden niet meer aangeroerd.

De volgende ochtend is Rik heel vroeg wakker. Nu gaat het gebeuren! Remco ter Geef krijgt een koekje van eigen deeg. Of liever: een soepje van eigen tomaat. Rik moet grinniken.

Het lijkt uren te duren voor ze hun tas op hun rug kunnen hijsen om naar school te gaan. In een looppasje haasten ze zich naar de Katersgracht.

Maar daar is helemaal niets te zien! Het huis ziet er nog precies zo uit als de vorige dag. Er zitten geen nieuwe tomatenvlekken tegen de gevel of de ramen, er ligt geen plas tomatensoep bij de voordeur.

'Hè bah!' zegt Wietske hartgrondig, 'hebben we dáár nou de hele nacht voor wakker gelegen. Er is helemaal niets gebeurd.'

Ook Rik kijkt sip. 'Wat zou er gebeurd zijn waardoor er helemaal niks gebeurd is?'

'Ja oliebol, dat weet ik ook niet,' Wietske snauwt bijna. 'Kom, dan gaan we maar naar school. Vanmiddag horen we wel hoe het komt.'

Met tegenzin gaan ze verder. Wéér een hele dag, terwijl ze eigenlijk wel wat anders te doen hebben.

Op de speelplaats staat een groep kinderen van de hoogste klas. Wietske en Rik móeten er wel langs. Plotseling wordt Rik bij zijn mouw gegrepen door een van de oudere jongens. 'Kan je niet uitkijken?' snauwt de gast. Hoewel het mooi weer is, heeft hij een omvangrijk jack aan en lijkt minstens veertien.

'Ik deed niks!'

'Jawel, je liep te dicht langs ons en dat willen we niet. Jij gaat met rare heksen om. Wie met heksen omgaat, wordt ermee besmet.'

'Laat mijn broer los!' zegt Wietske, 'wij gaan om met wie we willen en...'

'Ha! Nóg zo'n heksenjong,' zegt een jongen met het lijf van een bokser, 'moet je haar vuil zien kijken! Ze líjkt er zelfs op. Tóver jij je broertje maar los. Je hebt vast wel een paar heksenstreken geleerd, toen je er was.'

Wietskes ogen spuwen vuur. 'Laat hem los!'

Rik voelt hoe hij nog steviger in de houdgreep wordt genomen. De jongen die hem vast heeft, zegt met overslaande stem: 'Hoe doe je dat nou? Hokus Pokus Pilatus Pas, ik wou dat mijn broertje vrij was.' Hij kijkt triomfantelijk de kring rond.

Wietskes gezicht krijgt bijna dezelfde kleur als haar trui. Die is paars. Rik ziet dat ze haar kaken spant, haar gezicht zwelt en het puntje van haar tong komt te voorschijn. Haar ene been zwaait naar achteren en Rik hoort haar schreeuwen: 'Hokus Pokus Knal!' Met een doffe dreun komt haar stevige leren schoen tegen het scheenbeen van de jongen. Die brult: 'Au, klein kreng!' en hij grijpt naar de zere plek. Vóór hij weer opkijkt, zijn Rik en Wietske verdwenen, ieder naar hun eigen klas.

Dit is alweer een dag, dat Rik zijn aandacht niet bij de les kan houden. Hij houdt zich zo stil mogelijk en doet zijn best, maar het lukt niet erg.

Wietske wacht hem ongeduldig op na school. Op een drafje rennen ze weg. Hun vriendjes en vriendinnetjes kijken hen bevreemd na. Wat Rik en Wietske nu toch weer hebben. Sinds ze in het huis van de heks zijn geweest gaan ze alleen nog maar met elkáár om. Alsof hun vrienden niet meer bestaan!

Rik en Wietske hebben heel andere dingen aan hun hoofd. Hijgend staan ze bij Frieda voor de deur. Mirta doet open in een lapjesjurk.

'En?' vragen ze tegelijkertijd.

'Mislukt,' zegt Mirta.

'Mislukt?'

'Ja. Ik stond er wel met mijn pan met soep, maar hij deed het niet.'

Wietske danst ongeduldig van het ene been op het andere. 'Wát deed hij niet?'

'Tomaten gooien. Hij heeft er niet één gegooid en ik denk dat ik weet waarom niet.'

'Waarom dan niet?'

'Bij gebrek aan tomaten.'

Rik en Wietske snappen er niets van.

'Denk nou eens even na,' zegt Mirta.

Ze denken zich suf, maar kunnen er niet op komen.

'Waar denk je dat de tomaten waren?'

92

'Oh, nu weet ik het!' roept Rik, 'Jíj had die tomaten. Jij had alle rotte tomaten van de groenteman meegekregen!'
'Exact!'
'Tsssj...' zegt Wietske, 'dat is stom.'
Rik laat zijn schouders hangen. 'Dan is alles mislukt.'
'Welnee,' zegt Mirta opbeurend, 'Het is alleen maar een dag uitgesteld. Dat zul je zien. Morgen zullen er vast en zeker wel weer tomaten voor Remco overblijven, wacht maar af.'
'Wacht maar af, wacht maar af,' denkt Rik, 'weer een hele dag en een hele nacht wachten...'
'Groeten aan Frieda,' zegt Wietske flauwtjes, 'morgen komen we weer langs.'
Chagrijnig sjokken ze naar huis.

29

Morgens is het duidelijk te zien: er zitten nieuwe tomaten-plekken tegen het huis en het stoepje bij de voordeur is nat. Alsof het net geschrobd is.
'Ik bel aan,' zegt Wietske, 'ik wíl het weten.'
'Ja, maar we moeten naar school.'
'Kan me niet schelen, ik wil het weten.' Wietske belt.
Het duurt en duurt voordat de deur opengaat. Eindelijk is Mirta daar in een grote zwarte badjas met een wild patroon van groene bladeren.
Haar haren druipen. 'Sorry, ik stond net onder de douche.'
'Is het gelukt?' klinkt het als uit één mond.
Mirta's donkere ogen worden groot en triomfantelijk. 'Ja, het is gelukt en goed ook! Het is een lang verhaal.'
'We moeten naar school,' zegt Rik maar weer eens.
'Dan vertel ik het vanmiddag bij een kopje thee eh... cola. Tot ziens!'

De deur slaat dicht.

Lastig dat die school er steeds tussen komt. Ze willen trouwens Gijs wel eens zien, maar hij is er niet.

De cola staat al klaar als ze 's middags terugkomen. Dat hebben ze natuurlijk aan Mirta te danken.

Frieda zit er vrolijk bij. Zo zien ze haar niet vaak. 'Vertel het hen maar gauw,' zegt ze tegen Mirta.

Die begint meteen:

'Nou, ik was dus heel vroeg opgestaan. De pan met soep stond al op het kamertje boven de voordeur. Die had ik daar gewoon laten staan.'

Wietske komt ertussen. 'Ja, en toen?' Rik schuift ongeduldig op zijn stoel. 'Stil toch, laat haar nu vertellen.'

Mirta gaat onverstoorbaar verder: 'Ik deed het raam alvast open. Wel een beetje koud zo vroeg in de ochtend. Je moet er wát voor over hebben om zulke vuilspuiters te pakken. In de verte hoorde ik de brievenbussen klepperen. Ik keek stiekem uit het raam. Ze waren met z'n tweeën. Een grote jongen met een fiets met kranten en een kleinere met van dat stekelhaar. Die had een plastic zak bij zich.'

'Gijs en Remco!' zeggen Rik en Wietske tegelijkertijd.

'Dat kan best. Ik pakte mijn pan en wachtte af. En ja hoor, ik hoorde de eerste tomaten tegen de gevel kledderen. En ik hoorde ze zeggen: "Weg met de heks!" Ik wilde voorzichtig naar buiten kijken en toen kreeg ik een tomaat tegen mijn hoofd. Ze hadden hem zo door het open raam naar binnen gemikt. De donderstralen! Mijn hele haar zat onder! Ik werd me toch giftig! Ik had zo wel de soep met pan en al uit het raam willen smijten, maar ik moest wachten op het goede moment. Timing weet je, dat is belangrijk. Dat goede moment kwam toen die ene, die grootste, de krant in de bus stopte. Kledder! Ik keerde pardoes de pan soep boven zijn

hoofd om. Het restje slingerde ik naar die andere knaap. Die heeft ook nog een flinke guts over zich heen gekregen. Je had hen moeten horen! Moord en brand schreeuwden ze. Het zag er ook niet uit: al die vermicellislierten in hun haar en die rode, druipende koppen! Ik heb hen nog achternageroepen: "Ga nu je vader en moeder maar vertellen hoe je hieraan komt, soepkerels dat jullie zijn! En vergeet vooral niet te vertellen wat jullie zélf deden. De volgende keer maak ik gehaktballen van jullie!" Dat riep ik. Ze wisten niet hoe gauw ze weg moesten komen. Tja, daarna moest ik zelf mijn haren gaan wassen en de stoep schrobben, én afwachten.'

'Afwachten?'

'Ja, natuurlijk. Die ouders lieten het er natuurlijk niet bij zitten.'

'Wat gebeurde er dan?' vaagt Rik.

'Ik heb hun moeder op bezoek gehad.'

'Ja? En toen?'

Mirta kijkt gniffelend naar Frieda en gaat dan op haar dooie gemak nog een kop thee voor haar inschenken.

Eindelijk gaat ze verder: 'Eigenlijk heb ik met dat mens te doen. Ze trilde helemaal toen ze bij de voordeur stond. Ze had haar jasschort nog aan, maar haar gezicht was opgemaakt alsof ze naar de schouwburg moest. Ze was echt geschokt. Ze viel over haar eigen woorden.

"Wat heeft u met mijn kinderen gedaan?" vroeg ze.

"Kinderen?" zei ik. Ik deed of ik van niets wist.

"Gijs en Remco," zei ze, "u hebt hen helemaal onder de soep gegooid!"

"Oh, waren dat úw kinderen? Nou, dat spijt me dan voor u. Voor hen vind ik het nét goed."

Dát zei ik, en: "Ze mogen nog blij zijn dat het geen héte soep was, want ik heb ze op héterdaad betrapt!"

"Heterdaad? Wát heterdaad?" riep ze. Het arme mens snap-

te er niets van. Toen heb ik haar verteld dat die tomaten-
gooiers uit de krant háár spruiten waren. Ze kreeg een kleur
als de soep van vanmorgen. Ze wilde het eerst niet geloven.
Ze dacht dat háár kinderen zoiets niet deden. Ja, dank je de
koekoek! Ik had het toch zeker zelf gezien?'
'En wat toen?' Wietske zit op het puntje van haar stoel.
'Op het laatst moest ze het wel geloven. Vooral toen ik zei:
"Het zijn nota bene uw eigen tomaten die hier tegen de gevel
zitten. Hebt u nooit een kistje met afvaltomaten gemist?"
Toen snapte ze het eindelijk. Ik zei nog: "U mag blij zijn dat
ik de politie er niet bij heb gehaald."
"O nee, alstublieft niet!" zei ze. "Straks komt dat ook nog in
de krant. Dan wil er niemand meer bij ons kopen."
"Ik weet het goed gemaakt," zei ik toen, "ze komen de vlek-
ken gewoon zelf van de gevel boenen."
En dat hebben we afgesproken. Zaterdagmorgen stuurt ze die
knapen hierheen. Als ze niet komen ga ik naar de politie.
Jullie mogen hen komen aanvuren!'

30

Ze vallen met de deur in huis. 'De tomatengooiers zijn
gesnapt! We hebben ze! En Mirta heeft...'
'Ga eerst eens netjes aan tafel zitten,' zegt mama, 'we moeten
eten.'
'Wie is Mirta?' vraagt papa.
'De zus van Frieda. Die logeert daar.' Ze vertellen om de
beurt wat Mirta hen verteld heeft. Het wordt steeds spannender:
'Ónder de soep zaten ze en slierten overal. En báng dat ze
waren! Ze renden hard weg en ze kwamen natuurlijk helemaal oranje thuis met allemaal oranje voetstappen.'

'Hun moeder was hartstikke kwaad op Frieda en Mirta. Ze dacht zeker dat die hen betoverd hadden.'
'Maar Mirta heeft verteld dat ze heel goed gezien had hoe ze tomaten gooiden. Nu heeft ze met die moeder afgesproken dat ze het er zelf af moeten halen. Dat wordt lachen joh!'
Janine bemoeit zich er weer mee: 'Nou, dan zijn jullie geen haar beter, leedvermaak is nét zo erg.'
'Leedvermaak? Wat mag dat wel wezen?' vraagt Rik.
'Lol hebben om een ander z'n ellende.'
Nijdig springt hij op. 'Ja hoor es! Wie is er dan begonnen? Jij hebt altijd wat te zeggen, stomme tr...'
Papa komt tussenbeide: 'Als jullie steeds ruzie met elkaar maken, ben je óók geen haar beter. En ik zeg altijd maar: verbeter de wereld en begin bij jezelf.'
Rik sputtert nog wat na. 'Ik zou nooit met tomaten naar iemands huis gooien.'
'Heilig boontje,' mompelt Janine.
'Ssssst!' sist papa.
Mama pakt een schaal van het aanrecht. 'Sorry jongens, dit heb ik echt niet expres gedaan.'
'Watte?' zeggen ze allemaal tegelijk.
Mama zet giechelend de schaal op tafel. Het is sla met veel tomaten.
Ze stikken van het lachen.

Zaterdagmiddag om drie uur gaat het gebeuren. Wietske kon het weer niet laten. Ze heeft het verhaal in geuren en kleuren aan haar hartsvriendin Niki verteld en ook nog aan Geertje. 'Niet verder vertellen hoor,' had ze erbij gezegd. Dat had niet veel geholpen. Zaterdagmiddag is er een volksoploopje bij nummer 13. De halve klas is er. Rik telt ze: Niki is er en Geertje en Teun en de twee J's en nog een heel stel meer. De buurman van Frieda staat er ook en een toevallige voorbij-

ganger. Zelfs Janine, die nog wel zo gezeurd had over leedvermaak! Er staat zelfs iemand met een fototoestel. Zeker van de plaatselijke krant. Hoe is die het aan de weet gekomen? Aan de overkant van de gracht staan drie jonge mannen. Hun handen diep in de zakken. De kragen van hun donkere jacks hoog opgetrokken. Een van hen heeft zijn hoofd kaal geschoren. Rik huivert. Het zijn de vrienden van Remco.
Allemaal staan ze te wachten op de dingen die komen gaan. Frieda en Mirta verschijnen arm in arm in de deuropening.
Om drie minuten over drie komen ze eraan. De kleine, pezige Gijs en de veel forsere Remco. Ze hebben hun oudste kleren aan. Hun moeder is er ook bij. In een grijsblauwe regenjas, ook al is er geen wolkje aan de lucht. Verder is ze keurig gekapt en opgemaakt. Ze blijft onder alle omstandigheden een echte zakenvrouw. De jongens dragen een ladder tussen zich in. Hun moeder fladdert er omheen met wapperende jaspanden. Ze is veel te bang dat ze brokken maken met het lange ding. Haar zonen durven niet op of om te kijken.
'Moet je ze nu eens zien,' denkt Rik. Hij vindt het stiekem leuk dat ze zich zo schamen.
Mirta staat klaar met een emmer sop en een boender. Ze heeft haar spijkerjasje weer aan. Haar haren zijn pas gebleekt. Ze geven bijna licht. 'Alsjeblieft, helden, laat nu maar eens zien wat je nog meer kunt.'
De moeder van Gijs en Remco weet niet meer hoe ze moet kijken als ze de toegestroomde mensen ziet. Dit is geen goede reclame voor haar groentezaak. Remco staat er een beetje lacherig bij. Hij probeert zijn schouders breder te maken en probeert stoer te kijken. Gijs werpt een vuile blik op Rik en Wietske.
Mirta stroopt haar mouwen op en pakt de ladder beet. 'Wilt u een handje helpen?' vraagt ze aan mevrouw ter Geef.

Samen zetten ze de ladder tegen Frieda's huis. Het valt niet mee, maar Mirta is sterk.

Met haar tong tussen haar tanden krijgt ze het voor elkaar. 'Die staat,' zegt ze, 'als wij hem nu samen vasthouden, kunnen die jongens boenen. Wie begint?'

Rik kijkt benieuwd van de een naar de ander. Gijs kijkt naar Remco en Remco naar Gijs. Ze verroeren zich niet. Het duurt Mirta te làng.

'Kom op, jongens! Ik ben geen uithangbord! Wie?'

Gijs kijkt weer naar Remco, die is de grootste, maar Remco wordt wat bleek. Hij stamelt iets.

'Wat zeg je?' Mirta's ogen schieten vuur.

'Ik... ik heb hoogtevrees.'

'Hoogtevrees? Jij? Nu snap ik het!' zegt Mirta triomfantelijk, 'eigenlijk ben jij een heel bang mannetje. Dáárom moet je altijd zo stoer doen. En daarom doe jij stiekeme dingetjes zoals tomaten gooien tegen huizen van alleenstaande vrouwen. Hééé macho! Laat nu eens zien wat je durft! Hier pak aan!'

Met haar vrije hand pakt ze de emmer sop op en zwaait hem naar Remco. Hij krijgt een klets water over zijn broek, maar hij durft niet meer tegen te stribbelen. Met knikkende knieën pakt hij de ladder vast en gaat treetje voor treetje naar boven. Halverwege blijft hij staan. Hij ziet bijna groen. 'Ik ben echt heel misselijk. Straks komt er nog meer troep.'

'Laat mij maar,' zegt Gijs grootmoedig, 'doe jij de benedenhelft maar.' Rik verkneukelt zich. Zou Gijs ook...?

Remco gaat overvoorzichtig naar beneden. Gijs neemt de emmer over en gaat de ladder op als een echte atleet. Handig hangt hij de emmer met een haak aan de bovenste sport. Hij doopt de boender in het sop en bewerkt alle vlekken waar hij bij kan. Het moet gezegd worden: het gaat hem goed af.

Drie keer moeten ze de ladder verzetten, dan is de bovenhelft van het huis schoon.

Remco is aan de beurt. Beschaamd boent hij de onderste helft.

Een keer kijkt hij over zijn schouder naar de overkant van de gracht. Daar staan nog steeds zijn drie vrienden, als voetballers die een somber muurtje vormen op de doellijn.

31

Er is ondertussen een aardig opstootje ontstaan aan de gracht. De mensen en kinderen staan zelfs op de rijweg. Auto's kunnen er maar met moeite omheen. Een daarvan is een witte auto met een rode streep. Politie!

Rik ziet mevrouw ter Geef opveren. De auto gaat naar de kant en er stappen twee agenten uit. Frieda laat van schrik een kruk vallen.

'Wat zijn we hier aan het doen?' zegt de grootste van de twee, terwijl hij de kruk voor Frieda opraapt.

Mirta kijkt hem recht in het gezicht. 'We zijn de gevel aan het reinigen, zoals u ziet.'

De kleinste agent gaat op zijn tenen staan en fluistert de andere iets in het oor. Die zegt tegen Mirta: 'Bent u het slachtoffer van de tomatengooiers?'

'Nee, bij mij wagen ze zoiets niet. Dat is zij daar, mijn zus.'

'En wie zijn de daders?'

'Die twee helden daar.' Een priemende vinger met knalrode nagel wijst naar Remco en Gijs.

De agent haalt zijn notitieboekje uit zijn zak. 'Dan zullen we maar eens proces verbaal opmaken.'

Opeens is daar Frieda's stem, luid en erg hoog voor haar doen: 'Nee, dat wil ik niet!'

'U wilt dat niet? U bent al weken slachtoffer van deze knapen en u wilt geen aangifte doen?'

'Nee!' zegt Frieda beslist.

'Daar snap ik nou niks van,' zegt Mirta, ze staat wijdbeens met haar handen in de zakken van haar spijkerrok, 'wekenlang word je gepest, uitgescholden en je huis wordt bekladderd! Nu kun je er iets tegen doen en nu wil je het niet. Laat ze die knapen maar een tijdje opsluiten, dan leren ze het wel af.'

Rik is het met Mirta eens, maar Frieda zegt: 'Nee, ik wil het niet!' Ze staat er nu ook strijdlustig bij, ook al leunt ze op haar krukken. Als kemphanen staan de twee zussen tegenover elkaar. Die Frieda!

'En waarom wil je het niet? Ik kan toch geen pannen tomatensoep blíjven gooien?'

'Ze zullen mijn huis niet meer bekladden.'

'Hoe weet je dat zo zeker?'

'Ze zijn al genoeg gestraft. Ze zullen mijn huis niet meer bekladden.'

'Ik heb het ze nog niet horen zeggen.'

'Dan zeggen ze het nu, hè jongens?' Frieda kijkt de jongens bezwerend aan.

Als een echo klinkt de stem van mevrouw ter Geef: 'Ja, dat zeggen jullie nu, hè jongens? Remco? Gijs?'

Remco en Gijs staan er sullig bij. Remco met de emmer, Gijs met de borstel.

'Toe dan, zeg het!' dringt hun moeder aan.

'We doen het niet meer,' bromt Remco met een schuin oogje naar zijn vrienden aan de overkant.

'Nee,' zegt Gijs.

'Hoort u het?' Frieda kijkt de agenten streng aan. 'Ze doen het niet meer.'

'U wilt echt geen aangifte doen?' vraagt de grootste nog eens.

'Nee,' zegt Frieda. Ze draait zich om en strompelt op haar krukken het huis binnen. Op de drempel kijkt ze nog even over haar schouder en zegt tegen de moeder: 'Als jullie klaar zijn, kunnen jullie binnen wat te drinken krijgen.'
Mirta ontploft bijna. 'Nou ja zeg! Ga ze nog een beetje in de watten leggen! Jij bent gewoon te goed voor deze wereld.'
Rik is blij dat alle mensen het nu eens horen: Frieda is te goed voor deze wereld en geen gemene heks. Dat weet hij nu zeker.
Mirta snuift nog steeds van verontwaardiging. Ze bijt de jongens toe: 'Als je maar weet dat ik wél aangifte doe als jullie ooit Frieda iets aandoen. Helden op sokken, dát zijn jullie!'
Rik ziet Remco weer naar de overkant van de straat kijken. Hij volgt zijn blik.
De drie vrienden zijn verdwenen.

32

Eindelijk zitten ze met z'n allen in de woonkamer: Frieda, Mirta, mevrouw ter Geef, Remco, Gijs, Wietske en Rik. Ze zitten stijfjes op de rechte stoelen. Mirta pakt de theepot en rammelt luidruchtig met kopjes en glazen. Remco en Gijs kijken nieuwsgierig in het rond. Mevrouw ter Geef zit op het puntje van haar stoel. Iedereen heeft al een keertje gekucht of de keel geschraapt, maar niemand zegt iets.
Opeens schalt de stem van Mirta: 'Cola?'
Geschrokken veren Remco en Gijs op. 'Eh... ja, alstublieft.'
Het volgende ogenblik heeft Mirta de glazen met een klap voor de twee neer gezet. Ze kijkt alsof ze hoopt dat ze zich erin zullen verslikken. Als ze Rik en Wietske hun cola geeft, zegt ze hartelijk: 'Drink maar lekker op.'
Frieda heeft mevrouw ter Geef een kopje thee gegeven. 'Alstublieft, goed voor uw hoofdpijn,' zegt ze.

Mevrouw ter Geef zet grote ogen op: 'Hoe weet u dat ik hoofdpijn heb?'

'Dat zou ik ook hebben met zulke jongens,' komt Mirta ertussen.

Maar Frieda zegt: 'Rustig nu maar, Mirta. Ik vóel het gewoon: mevrouw ter Geef heeft hoofdpijn.'

Moeizaam staat Frieda op en legt zomaar haar hand op het pijnlijke voorhoofd. Ze doet haar ogen dicht. Wel tien tellen. Daarna gaat ze weer terug naar haar plaats.

Mevrouw ter Geef kijkt verbaasd de kring rond. 'Mijn hoofdpijn is weg!' Dan naar Frieda: 'Hoe doet u dat?'

'Dat gebeurt gewoon,' zegt Frieda rustig. Ze kijkt naar haar handen.

'Dat is toch niet gewoon?' Mevrouw ter Geef is nog steeds verbaasd.

'Dat weet ik niet hoor,' zegt Frieda verlegen, 'praat er verder maar met niemand over.'

'Mijn zus heeft nu eenmaal die gave,' zegt Mirta, 'maar ze wil het niet aan de grote klok hangen.'

'Ze zou anders heel rijk kunnen worden,' zegt mevrouw ter Geef peinzend, 'er zijn zo veel mensen met hoofdpijn.'

'Mijn zus wíl niet rijk worden,' zegt Mirta fel, 'ze wil best mensen helpen, maar dan in het klein én in stilte!' Ze kijkt mevrouw ter Geef streng aan. Die schudt meewarig het hoofd. 'Jammer, jammer! Ik bekijk zoiets als zakenvrouw.'

Opeens staat Mirta weer op en gaat bij de stoelen van Gijs en Remco staan. Ze wijst op Frieda. 'Zo. En? Heb je deze vreselijke griezelige heks nu goed bekeken? Ze ziet er erg gevaarlijk uit hè? De schrik van de buurt, of niet soms?'

Rik gluurt naar hun gezichten. De helden weten niet waar ze kijken moeten.

'Als jullie Frieda nog één keer kwaad doen dan..., dan zal ík eens gaan toveren en berg je dan maar! Dan betover ik jullie in eh… in eh…, in een tomaat! En dan leg ik je tussen de andere tomaten en dan verkoopt jullie moeder je, zonder dat ze het weet en dan verdwijnen jullie vanzelf in een of andere tomatensoep en…'

'Mirta Mirta,' zegt Frieda, 'je slaat op hol. Zo is het wel genoeg.'

Mirta zet lawaaierig de glazen in elkaar. 'Einde van de zitting,' zegt ze nors, 'Frieda moet rusten.'

Stilletjes staat de familie ter Geef op om naar huis te gaan. Mevrouw ter Geef drukt Frieda's hand. 'U zou écht iets moeten doen met dat talent,' zegt ze nog en dan: 'Remco! Gijs! Geef mevrouw een hand.'

Verlegen gehoorzamen ze.

'Ik ben blij dat jullie gekomen zijn,' zegt Frieda tegen Remco en Gijs. Ze schudt hun handen hartelijk. 'Wat mij betreft is alles vergeven en vergeten.'

Dat maakt hen nog meer verlegen. 'Bedankt voor de cola,' zeggen ze zachtjes. Dan gaan ze achter hun moeder aan de kamer uit. Mirta laat hen uit. Als ze terugkomt staan Rik en Wietske ook op.

'Kom nog maar eens langs,' zegt Frieda, 'gezellig!'

'Leert u ons dan toveren?' vraagt Rik.

'Dat kun je niet leren,' zegt Mirta, 'dat heb je of dat heb je niet.'

Ze kijkt strak naar de voordeur. Die springt vanzelf open.

Mirta grijnst. 'Het is echt heel simpel.'

Als Rik en Wietske buiten staan kijken ze elkaar verwonderd aan.

Thuis is alles weer gewoon. Het ruikt naar de zaterdagse appeltaart. Lekker!

33

De dagen gaan voorbij. Het is een prachtige nazomer. De gevel van nummer 13 blijft schoon. Mirta is nog steeds bij Frieda. 'Ik ga pas weg als Frieda kan lopen als een kievit,' zegt ze.

Van Rik en Wietske hoeft ze nooit meer weg. Met Mirta beleef je nog eens wat. Ze gaan regelmatig op bezoek. Zelfs Cleopatra vindt het nu leuk en komt hen kopjes geven.

Mirta leert hen goochelen met kaarten.

'Kan je ons niet écht leren toveren?' vraagt Rik op een keer.

Wietske valt haar bij : 'Ja Mirta? Bijvoorbeeld allemaal tienen op ons rapport!'

Mirta grijnst, maar Frieda steekt een vermanende vinger op. 'Niets daarvan. Voor goede rapportcijfers moeten jullie zelf zorgen! Gewoon een beetje harder werken.'

Wietske kijkt teleurgesteld. Rik denkt: 'Waarom is Frieda altijd zo ernstig en Mirta zo grappig?'

'We hebben het ook zo druk,' zegt Wietske.

Frieda kijkt hen onderzoekend aan. 'Druk? Hebben kinderen het tegenwoordig ook al druk? Waarmee dan?'

'Nou,' zegt Wietske, 'balletles.'

en Rik zegt: 'Zwemles.'

'Paardrijden.' Dat is Wietske weer.

Rik roept: 'Voetballen!'

Om beurten gaan ze verder:

'Naar de bieb!'

'Tv-kijken!'

Ze gaan steeds harder roepen:

'Op straat spelen!'

'School!'

Frieda komt tussenbeiden: 'Stop maar, stop maar, ik hoor het al.' Ze houdt haar handen tegen haar oren. 'Ik heb medelijden met jullie, maar er wordt niet met jullie cijfers gegoocheld.'

'Jammer,' zegt Mirta, 'ik had het best wel eens willen proberen. Ik mag van Frieda nooit eens lekker toveren, alleen maar kleine dingetjes.'

'Wat dan?' vragen Rik en Wietske tegelijk.

'Ik zet bijvoorbeeld wel eens de draaideur stop als mensen voordringen. Dan zet ik ze even gevangen en kunnen ze niet verder. Of: als ze voor hun beurt gaan bij de geldautomaat, dan maak ik die automaat even in de war en dan komt er niets uit.'

'Mirta, foei!,' zucht Frieda, 'dat kun je toch niet maken?'

Mirta gaat onverstoorbaar verder: 'Laatst werd Frieda met haar krukken bijna omvergereden door een auto. Op de zebrastrepen nog wel! De chauffeur was ongeduldig omdat ze niet snel genoeg kon lopen. Toen liet ik lekker z'n motor afslaan.'

Ze luisteren met open mond. Mirta maakt het steeds spannender. Ze laat haar stem dalen als ze verder vertelt: 'Ik heb ook nog één keer wraak genomen op die tomatengooiers. Ik heb gisterochtend flink uit het bovenraam geblazen, toen ze de kranten rondbrachten.'

'En toen?' Rik heeft al zo'n voorgevoel.

'De stapel kranten woei uit hun armen. Ze vlogen alle kanten uit. Het duurde wel een kwartier voor ze alles weer bij elkaar hadden.'

Rik en Wietske gniffelden. Frieda keek hen bestraffend aan.

'Dat is leedvermaak,' zegt ze. Hé, waar hadden ze dat al eerder gehoord?

Af en toe snappen ze niets van Frieda. Hoe kan ze dat nu zeggen, na alles wat ze meegemaakt heeft? Het is toch net goed dat die jongens ook eens te grazen genomen worden?

'Ja,' denkt Rik, 'Mirta heeft gelijk: Frieda is veel te goed voor deze wereld.'
'Ze hebben hun straf gehad,' zegt Frieda, 'het moet nu over zijn.'
Maar het is niet over.

Op een dag wordt Rik te pakken genomen. Hij is op de fiets en wil naar de bieb. Als hij er bijna is, grijpt een grote jongen zijn stuur beet. 'Als dat het heksenjong niet is!' zegt hij en gaat breeduit voor hem staan. In een mum van tijd staan twee andere jongens aan weerskanten. Een vierde pakt zijn bagagedrager beet. Rik staat als aan de grond genageld. Het zijn die vrienden van Remco! Groot en dreigend staan ze om hem heen. Remco zelf is er niet bij.
'Zo, heksenjong,' zegt de grootste. Het is die met de gescho-

ren kop. Hij spuugt zomaar op Riks schoenen.

Zijn maat lacht vals. 'Wie met pek omgaat, wordt ermee besmet.' zegt hij en haalt hartgrondig zijn neus op. 'Tover je nu maar eens los, manneke!'

Riks onderlip begint te trillen. 'Ik kán helemaal niet toveren man, laat me los.'

Een jongen ploft op de bagagedrager. 'Nee, natuurlijk kun je niet toveren,' hoort hij achter zich, 'dus jij kán helemaal niet weg komen! Probeer het maar eens. Húp, fiets dan!'

Wanhopig sjort Rik aan zijn fiets.

De vier lachen gemeen. Het angstzweet breekt hem uit.

'Tover jij me maar eens lekker naar huis,' klinkt het achter hem. 'Opzij mannen! Ik laat me thuis brengen door dat heksenjong!'

De anderen doen een stap opzij. Rik wordt tussen zijn ribben gepord. 'Hup, fietsen!'

Het lukt Rik om met zijn voeten op de trappers te komen. De porren in zijn rug worden feller. 'Fietsen zeg ik je!' hoort hij steeds maar.

Normaal kan hij erg hard fietsen, harder dan Wietske.

Rik trapt en trapt en komt een eindje vooruit. De jongens joelen en beginnen nu ook te porren. 'Húp heksenjong, húp!'

Rik doet een uiterste krachtsinspanning. Zijn hoofd barst bijna uit elkaar. Hoe komt hij hier ooit uit?

34

Rik kan echt niet meer. Hij is maar een paar meter vooruit gekomen. Zijn rug is nat van het zweet en zijn haar plakt tegen zijn voorhoofd. Hij kijkt het plein over. Heeft er dan niemand in de gaten, dat hij in de tang genomen wordt?

Er zijn wel mensen op het plein, maar die gaan hun eigen

gang. Of ze doen net of ze niets zien. Hij zal zichzelf moeten zien te redden.

Hij brult zo hard hij kan: 'Donder op jullie! Rotjongens!'

De vrienden van Remco slaan zich op de knieën van het lachen.

Opeens klinkt er een bekende stem. 'Laat los! Onmiddellijk!'

Het lachen verstomt. Daar staat Mirta tussen de knapen in. Ze is kleiner dan zij, maar ze straalt grote kracht uit. Haar zwarte ogen schieten vuur. 'Kúnnen jullie wel, helden! Met vier tegen een kind!' Haar stem schalt over het plein. Nu blijven er opeens wél mensen staan. In een oogwenk heeft zich een kring gevormd.

Mirta richt zich tot de toeschouwers: 'Ja mensen, kijk maar eens goed naar dit superkwartet. Ongelooflijk sterk en dapper zijn ze, vooral dapper!'

Ze trekt Riks ongenode passagier van de bagagedrager. 'Kijk, deze krachtpatser met dat ringetje in zijn oor heeft geweldig veel lef. Hij durft zomaar op de bagagedrager van dat kinderfietsje te gaan zitten. Daar is moed voor nodig mensen, dat kan ik u wel zeggen. Geef hem applaus!'

De omstanders grinniken. Eentje klapt er in zijn handen.

De jongens willen weglopen maar Mirta's donderstem doet hen stokken. 'Wacht even heren, jullie krijgen nog veel méér applaus.'

De kring om hen heen wordt dichter. De toeschouwers laten de jongens niet door.

Mirta wijst naar de grootste, die Riks stuur had vastgepakt. 'En deze heer hier, die met zijn scheerapparaat is uitgeschoten, is helemáál een held. Hij heeft dit fietsje met één hand tot stilstand gekregen! Dat is een geweldige stunt mensen. Dat doe je niet zomaar. Daar moet je een geweldige kracht voor hebben, want er zat een reus op dat fietsje.' Mirta wijst naar

Rik. 'Wat een moed is er voor nodig om deze tientonner te verslaan!'

Rik weet niet wat hij ervan denken moet. Wat bedoelt ze nou?

Maar het publiek joelt en klapt. Het geschoren hoofd van de vriend van Remco is vuurrood geworden.

Mirta begint er steeds meer zin in te krijgen: 'Ik vraag ook uw applaus voor nummer drie en vier. Die met die baseballpetjes op. Zij hebben onze helden geassisteerd. Jawel! Met twee man konden ze deze échte held hier niet aan.'

Ze pakt Rik bij zijn arm en gaat verder: 'Nee, daar waren er vier voor nodig om deze jongen te verslaan. Mensen, nog één applausje voor deze vier. We zouden ze ereburgers van de stad moeten maken!'

De omstanders lachen en klappen weer in hun handen. Aangemoedigd roept Mirta tegen de vier slungels: 'Mànnen, helden! Doe je pet af en buig. Bedank het publiek voor dit gulle applaus!'

Maar de knapen staan sullig te lachen. Ze schamen zich dood en weten zich geen houding te geven. 'Zo, daar staan jullie nou hè!' denkt Rik voldaan.

'Einde voorstelling!' brult Mirta. Tegen de jongens sist ze onheilspellend: 'Als jullie het nog eens in jullie stomme hersens halen om deze jongen lastig te vallen, maak ik er nog een veel grotere voorstelling van. Dan haal ik de pers erbij en de tv en nog veel meer! En je hoeft niets stiekem te doen, want ik kom er altijd achter. En nu opgehoepeld jullie!'

Met fier opgericht hoofd en haar handen in de zij blijft ze net zo lang staan, tot de jongens van het plein verdwenen zijn. Triomfantelijk kijkt ze Rik aan: 'Zo. Dat is opgelost. Die halen het niet meer in hun hoofd.'

'Hoe wist je dat ik hier was?' stamelt Rik.

'Dat wist ik niet, dat was toeval,' zegt Mirta, 'maar dat hoeven die knapen niet te weten. Laat ze maar denken dat ik alles zie!'

'Is dat dan niet zo?'

'Nee, natuurlijk niet. Ik ben geen tovenaar! Ik kan maar een paar dingetjes.'

Rik snapt er niets meer van. Is Mirta nu een heks of niet?

Ze zeggen elkaar gedag en Rik gaat de bieb binnen. Misschien is er wel een boek over heksen én over boksen. Hij gaat boksen leren of judo. Hij zal ze eens wat laten zien!

35

Thuis heeft Rik veel te vertellen. Wietske en Janine lachen zich slap. Ook papa zit te grinniken.

Mama is bezorgd. 'Blijf maar bij die jongens uit de buurt,' zegt ze.

'Ach, die doen heus niets meer,' zegt Wietske, 'en zeker niet zolang Mirta in de buurt is.'

Maar Mirta kan niet eeuwig in de buurt blijven. Ze moet weer terug naar haar bijenhouderij in het oosten van het land. Frieda kan weer op eigen benen staan.

Rik en Wietske zitten beteuterd te kijken, als ze bij Frieda het nieuws horen. Natuurlijk hadden ze gehoopt dat die snel beter zou worden, maar niet dat Mirta zo gauw weg zou gaan. Zonder haar zal het een stuk saaier worden.

'Ik kom heus nog wel eens logeren,' zegt ze als ze hun sippe gezichten ziet, 'vóór je het weet sta ik weer voor je neus.'

Rik schuift ongemakkelijk op zijn stoel heen en weer. 'En wat moeten we als ze weer tomaten gaan gooien?'

'Dan bellen jullie me op. Ondertussen laten jullie Frieda toch niet in de steek hè?' Mirta kijkt hen één voor één met haar gloeiende kooltjesogen aan.

'Nee, natuurlijk niet,' klinkt het tweestemmig.

'En als er iets met Frieda is, dan bellen jullie me toch?'

'Túúúúrlijk!' klinkt het weer.

'Brengen jullie me naar de trein? Voor Frieda is het nog wat te ver. Ik vertrek woensdagmiddag om half twee.'

Ze beloven op tijd op nummer 13 te zijn. Ze zullen zich moeten haasten na schooltijd.

'Ik neem mijn fiets wel mee voor je koffer,' belooft Rik.

De kat miauwt klaaglijk en Frieda laat een traantje, als ze haar zus gedag zegt. Mirta geeft haar wel vier dikke klapzoenen. 'Goed op jezelf passen, hoor,' zegt ze bij de deur, 'en je hebt Rik en Wietske ook nog.'

Ze zet haar koffer achter op de fiets van Rik. De koffer is loodzwaar.

'Wat zou daar allemaal inzitten?' denkt Rik, 'misschien wel net zo'n bloemetjespyjama als die van Frieda. Maar die kan natuurlijk niet zo zwaar zijn. Misschien zitten er spannende heksenspullen in. Hij zou er wel een twee-euromuntstuk voor over hebben als hij er in zou mogen kijken. Maar zoiets kun je natuurlijk niet vragen.

Lopend naast de fiets gaan ze naar het station. Ze moeten een druk plein oversteken en dan langs het busstation. In de stationshal zetten ze de koffer op een bagagekarretje. De hoge hal is vol galmende geluiden. Af en toe schalt er een vrouwenstem door een luidspeker. Ze verstaan er niet veel van. Mensen lopen kriskras door elkaar heen: mensen met koffers, mensen met bagagekarretjes, oudere dames met handtassen, heren met aktetassen, groepjes scholieren met rugtassen. Er staat een lange rij voor de kaartjesautomaat. Gelukkig zijn ze ruim op tijd. Voetje voor voetje komen ze verder. Net als Mirta aan de beurt is schuift er iemand voor haar.

'Hee, die gaat voor zijn beurt,' zegt Wietske.

Mirta kijkt minachtend. 'Laat maar gaan, dat lukt hem toch niet.'

Het lukt inderdaad niet. De automaat reageert nergens op. Mirta staat met haar neus in de lucht te wachten. De voordringer geeft het op en gaat zuchtend naar een loket.

'Zo. Nu wij,' zegt Mirta.

Met de automaat is niets meer aan de hand.

Opeens zegt Mirta: 'Passen jullie op mijn koffer, ik moet nog even telefoneren.'

Ze beent met grote passen naar een telefooncel. Het telefoontje duurt lang. Rik en Wietske staan bij de koffer. 'Wat zou er in zitten?' zegt Rik, 'hij is hartstikke zwaar!'

'Ik zou er wel eens in willen kijken,' zegt Wietske.

'Joh, dat mag niet,' zegt Rik, maar nieuwsgierig is hij wel.

Wietske kijkt naar de telefooncel. 'Ga jij voor me staan, dan kijk ik heel voorzichtig door een kiertje.'

'Maar als ze het merkt?'

'Dat merkt ze niet, ze is veel te druk aan het praten.'

Rik gaat voor de koffer staan. Wietske bukt zich en doet een stukje van de rits open. Dan vliegt ze achteruit. Er komt een sissend geluid uit de koffer en floep! Een ballon zo groot als twee voetballen schiet uit de koffer. Hij is lichtgevend rood.

Rik schrikt zich een hoedje. 'Duw gauw terug joh!'

Wietske duwt en frunnikt koortsachtig, maar het ding wil niet meer terug.

'Wat doen we nu? Zullen we weglopen Wiets?'

'Nee, natuurlijk niet, we zouden Mirta toch wegbrengen..'

Wietske weet het opeens: 'Ik kan er een gaatje in prikken.'

'Nee, dan knalt ie!' zegt Rik geschrokken.

Wietske laat moedeloos haar armen langs haar lijf zakken. 'Dan weet ik het niet meer.'

'Dát kan ik me voorstellen.' Het is Mirta!

Ze staan er schuldbewust bij.

'Nieuwsgierig geweest hè? Nieuwsgierigheid brengt wel eens spijt! Die krijg ik er nooit meer in.'

'Sorry Mirta,' zegt Wietske, 'het is míjn schuld.'

'En de mijne eigenlijk ook,' zegt Rik ruiterlijk.

'Nou vooruit, het is jullie vergeven.' Het volgende moment heeft Mirta een speldje uit haar haren getrokken en in de ballon geprikt. Met een knal springt het ding uit elkaar.

Er gaat een siddering door de mensen in het station.

'Niet opzij kijken, gewoon verder lopen,' zegt Mirta.

Dat doen ze.

'Het is maar goed dat het niet dé ballon is,' zegt Mirta.

'Dé ballon? Welke ballon?'

'Gewoon, dé ballon,' zegt Mirta geheimzinnig.

Rik denkt: 'Wát het ook voor een ballon is, die kan die koffer niet zo zwaar maken. Er móet nog iets anders in zitten.'

Maar Mirta zegt niets meer over de koffer. Ze zet er flink de pas in en gaat naar perron 2. Het is er lawaaierig. De trein staat er al. Er komt geluid uit alsof hij enorme winden laat. Het is de langste trein, die ze ooit gezien hebben. Mirta loopt het hele perron langs, bijna tot aan de voorste coupé. Daar geeft ze hen allebei een dikke klapzoen en sjort haar koffer in de coupé. Rik en Wietske blijven achter bij het bagagekarretje. Mirta verschijnt voor het raam en draait het bovenraam open, ze steekt haar hoofd naar buiten en zegt: 'Jullie moeten maar eens komen logeren of met je ouders een lekkere pot honing komen halen. Honing van mijn eigen bijen.'

Rik wil best bij Mirta logeren, maar niet bij een zwerm bijen.

'Die doen heus niets hoor,' zegt Mirta boven zijn hoofd.

Rik kijkt verbaasd omhoog. Zou ze toch gedachten kunnen lezen? Ergens klinkt schril gefluit.

De trein zet zich in beweging. Ze verstaan elkaar bijna niet meer.

'Goed op Frieda passen hoor!' roept Mirta zo hard ze kan,
'en op jezelf natuurlijk!'
'Ik ga op judo!' roept Rik nog gauw.
'Geweldig!' loeit Mirta.
Ze zwaaien tot ze haar niet meer zien.
'Kijk daar!' zegt Wietske.
Rik kijkt.
Uit het raampje van Mirta komt een ballon. Een knalgroene
dit keer. Hij danst omhoog naar de wolken.
De trein verdwijnt in de verte.
Rik en Wietske kijken elkaar aan en proesten het uit. Die
maffe Mirta.
Ze kijken de ballon na. Hij verdwijnt in een dikke wolk.
Zigzaggend door de mensenstroom gaan ze het station uit.
'Bah, saai,' zegt Wietske. Rik klimt op zijn fiets. 'Zeg dat
wel,' en dan zegt hij grootmoedig: 'Spring maar achterop.'
'Joepie!' zegt Wiets en ze zit al.
Vergeleken met die vriend van Remco is ze zo licht als een
veertje.

36

Zo fietsen Rik en Wietske samen op één fiets naar huis. Ze
hebben een leeg gevoel.
'Ik denk dat ik bij Niki ga spelen,' zegt Wietske landerig.
'En ik ga naar Teun,' zegt Rik.
Hij denkt: 'Wat ben ik al lang niet meer bij Teun geweest. Als
hij nog maar wil. We hebben het zo druk gehad met Frieda
en Mirta.'
Gelukkig lacht Teun blij als hij bij hem aanbelt. 'Hè-hè, ik
dacht dat je nóóit meer zou komen! Je moet me gauw alles
vertellen van die twee heksen. Spannend joh! Was het eng?'

'Het zijn eigenlijk geen echte heksen,' zegt Rik.

'O nee?' Teun kijkt teleurgesteld.

'In elk geval niet zoals de heks van Hans en Grietje, maar anders.'

'Hoe anders?'

'Ik weet het niet. Ik kan het niet uitleggen. Anders, bijzonder. Je moet maar eens meegaan.'

'Kunnen ze nou toveren of niet?'

'Ja en nee.'

'Ja óf nee?'

'Ja én nee. En ze zijn heel aardig.'

Teun kijkt hem onnozel aan. 'Ik snap er helemaal niets meer van.'

'Ik kan het ook niet goed uitleggen. Het zijn geen echte heksen, maar ze zijn ook weer niet zo gewoon als jij en ik. Luister!'

Rik vertelt van het begin tot het einde alles wat hij met Frieda en Mirta heeft meegemaakt.

Tot slot zegt Teun: 'Nu ik alles weet, durf ik wel een keertje mee te gaan. Zullen we nu nog even gaan voetballen?'

Buiten worden ze met gejuich begroet. Rik voelt zich een beetje schuldig. Hij heeft zijn vrienden wel een tijd zonder doelman laten zitten. Hij neemt gauw zijn plaats tussen de in de grond geprikte stokken in. 'Kom maar op!' zegt hij stoer. Ze spelen tot etenstijd en beloven elkaar na het eten de tweede helft te spelen.

Het is avond. De stand is 3-1 voor de ploeg van Rik. Ze zoeken hun spullen bij elkaar. De stad wordt rustig. De zakkende zon kleurt de lucht roze en rood.

Rik blijft opeens staan. Hij hoort een vreemd geluid. Het klinkt met tussenpozen. Alsof er steeds met kracht wind wordt weggeblazen. Ze staan nu allemaal doodstil en luisteren. Het geluid komt van boven en het komt steeds dichterbij. Riks mond valt open. Droomt hij? Daar komt een luchtschip aangedreven. Een ballon! Knaloranje is hij. Rik ziet een vlam onder de ballon. Hij schrikt. Maar de vlam gaat weer uit en de ballon zweeft zachtjes verder. Het geluid hoort bij de vlam. Aan–uit, dan een stilte en dan weer aan–uit gaat het, pal boven hun hoofd nu. Hij kan de mand zien, daar zitten mensen in. Er wordt geroepen: 'Rik! Joehoe! Rik!' Rik tuurt ingespannen omhoog. Wordt híj geroepen? Door wie dan? Hij ziet een paar wapperende armen en dan een felblonde pluizenbol. Die hoort bij Mirta, het is Mirta! Hoe komt díe onder de ballon?

'Mirta, hoi Mirta!' gilt hij zo hard hij kan. 'Hoe kom jij daar?' Hij zwaait met beide armen. Opeens is Mirta verdwenen. Droomt hij dan toch? Maar daar gebeurt iets. Er komt een donker gevaarte boven de rand van de mand uit. Hij herkent Mirta's koffer. Nu ziet hij Mirta ook weer. Met een hand houdt ze de koffer in balans op de rand en met de andere hand sjort ze aan de rits. De koffer moet zeker open. Mirta maait er met haar hand in. Wat komt daar nu naar beneden? Een hele zwerm kleine dingetjes. Ze zal toch niet haar bijen boven hun hoofden aan het loslaten zijn? Nee, het is wat anders. Het zijn papiertjes! Ze dwarrelen uit boven de stad alsof het sneeuwt in alle kleuren.

Rik ziet dat Mirta de koffer helemaal leeg schudt en dan weer binnenboord trekt. Nu zwaait ze weer met allebei haar armen. De ballon gaat hoger en hoger en zweeft dan weg. De rode zon tegemoet.

De eerste papiertjes bereiken de grond. Ze beginnen ze als gekken te rapen. 'Er staat iets op!' schreeuwt Teun. Rik vangt een papiertje. Ja, er staat iets op. Hij leest:

> **16 OKTOBER IS**
> **FRIEDA DI MARE**
> **JARIG!**
> **ZE WOONT AAN DE**
> **KATERSGRACHT NR. 13**
> **WENS HAAR EENS GELUK**
> **MET EEN KAARTJE**
> **IN PLAATS VAN**
> **TOMATEN!**

Rik lacht. Wat een stunt! Dat is nou echt iets voor Mirta.
Overal waar hij kijkt, liggen papiertjes. In de verte komt zijn
zus aanhollen samen met Niki. 'Rik, Rik! Wat een grap hè?
De hele wijk ligt vol! Zou Frieda het zelf al weten?'
Rik haalt zijn schouders op. 'Ik weet het niet. Zullen we het
haar gaan vragen?'
Het voetballen was toch al afgelopen. Rik loopt met Wietske
en Niki mee in de richting van de Katersgracht.
Met een ruk blijft Wietske staan. Niki en Rik schieten haar
bijna voorbij. Rik moppert: 'Zeg, kun je geen remlichten
gebruiken? Wat is er nu opeens?'
'We moeten niets zeggen. Het moet een geheim blijven voor
Frieda. Misschien schrijven de mensen wel echt een kaart.
Dan is het een verrassing!'
'Zou ze er niet zelf achter komen?'
'Niet als wíj de boodschappen voor haar doen. Ze komt toch
niet buiten met haar zere heup.'
'Maar wel in haar tuin, Ze moet toch de vogels voeren? Er
liggen vast ook briefjes in haar tuin.'
'Frieda kan zich toch nog niet bukken,' zegt Wietske beslist,
'ze hoeft het niet te weten te komen.'

121

'En als ze uit het raam kijkt? Dan ziet ze dat haar tuin vol ligt.'

'Weet je wat?' zegt Niki, 'het is toch al bijna donker. Misschien heeft ze de gordijnen al dicht. We kunnen de papiertjes stiekem uit haar tuin rapen.'

Ze gaan achterom. Frieda's gordijnen zijn dicht. Ze sluipen met z'n drieën de tuin in, als dieven in de nacht. Zorgvuldig rapen ze elk snippertje op. Hun jaszakken staan er bol van.

Op hun tenen lopen ze de tuin weer uit en gaan rechtstreeks naar huis, er is weer zoveel te vertellen!

Het duurt nog veertien dagen tot Frieda jarig is.

37

16 oktober valt op een zaterdag. Een vrolijk zonnetje zorgt voor verjaardagsweer.

Rik en Wietske hebben hun zakgeld bij elkaar gelegd en een grote bos bloemen gekocht: donkerrode en witte chrysanten met goudgele herfstbladeren ertussen. Dat zijn kleuren die bij Frieda passen.

Mama gaat met hen mee. Ze heeft een reusachtige appeltaart gebakken.

Op de gracht is het onrustig en druk.

'Vreemd voor een vrije zaterdag,' vindt mam.

Rik houdt zijn pas in. 'Moet je kijken bij Frieda's huis, daar staan een heleboel mensen!'

'Ze zullen toch niet weer met tomaten gegooid hebben?' zegt mama geschrokken.

Wietske begint sneller te lopen. 'Dat zullen ze heus niet meer doen, dat heeft Mirta hen wel afgeleerd.'

'Maar wat is er dán aan de hand?' vraagt Rik zich af.

Ze zijn nu bijna bij Frieda's huis. Daar staan zeker tien mensen. De meesten hebben een bosje bloemen in de hand, anderen een plant of een pakje.

Frieda staat in de deuropening, leunend op haar kruk. Ze ziet er ontdaan uit. Omdat ze handen te kort komt, leggen de mensen hun bloemen voor haar voeten op het stoepje. Er komen er steeds meer.

Mama is opgetogen. 'Het lijkt wel een defilé voor de koningin. Niet te geloven!'

Er stopt een auto van de post. Een stem als een koperen toeter schalt: 'Pardon dames en heren, mag ik er even door?' De postbode heeft een postzak uit de auto geladen en zeult die naar de voordeur.

'Hier is uw post mevrouw.'

Frieda moet zich met haar vrije hand aan de deurpost vastgrijpen. 'Voor mij? Is dit geen vergissing?'

'Ik dacht het niet. U bent toch mejuffrouw di Mare?'

'Ja,' zegt Frieda alsof ze het zelf niet echt gelooft.

'Di Mare, di Mare,' de postbode zingt het bijna, 'wat een prachtige naam! En het is hier Katersgracht nummer 13, kán niet missen, ik zit goed. alstublieft. Of... zal ik die zak even binnen zetten? Hij is veel te zwaar voor u.'

'Graag.' Frieda doet voorzichtig een stap opzij. Met een dreun belandt de postzak in de gang.

'Zo, die staat. Veel plezier ermee en een fijne verjaardag!' De postbode tikt met zijn wijsvinger tegen zijn pet. Zijn oogjes glimmen. Handenwrijvend gaat hij terug naar zijn auto. Ze horen hem zingen: 'Di Mare, di Mare, nog vééééle jare!'

Ondertussen worden er alweer nieuwe boeketten aan Frieda's voeten gelegd. Iemand komt op het idee om 'Lang zal ze leven' te zingen en al gauw galmt het in koor over de gracht. Frieda gaat van opwinding bijna van haar stokje en moet zich weer vastgrijpen.

Mama loodst haar naar binnen. 'Kom maar,' zegt ze, 'ga

maar bij het raam zitten. Wietske en Rik blijven wel om de beurt bij de deur. Rik, jij eerst maar.'

Plechtig gaat Rik op de plaats van Frieda staan. De grootste drukte is wat voorbij. Rik sleept de bloemen en pakjes de gang in en pakt nog vier nieuwe boeketten aan. Hij moet telkens uitleggen dat Frieda hier woont, maar dat ze nu moe is en naar binnen is. Hij belooft dat hij de felicitaties zal doorgeven. Voor het raam zit Frieda te wuiven als de koningin.

Na een half uur lost Wietske hem af.

In de kamer zit Frieda nog steeds voor het raam. De postzak staat naast haar. 'Ik zal weken nodig hebben om alles te lezen!' zegt ze. 'Hoe is het toch mogelijk!' Ze heeft gelukkig weer wat kleur gekregen Heel veel zelfs voor haar doen. Ze zit gewoon te stralen. 'Hoe is het mogelijk,' zegt ze al voor de zoveelste keer.

Rik heeft haar nog nooit zo intens vrolijk gezien. Voor het eerst kan hij zien dat Frieda en Mirta zussen zijn.

'Zou Mirta ook nog komen?' vraagt hij en kijkt uit het raam.

'Ze had gezegd van wel,' hoort hij Frieda zeggen. 'En de buurman heb ik ook op de koffie gevraagd.'

Ze heeft het nog niet gezegd of Rik slaat een kreet. 'Daar kómt ze!'

In de verte danst een tros kleurige ballonnen. Die komt steeds dichterbij. Mirta loopt eronder. In haar andere hand een weekendtas. Haar voeten raken nauwelijks de grond.

Rik rent naar de voordeur, springt over de bloemen heen en roept: 'Mirta komt eraan, Joepie! Mirta!'

Samen rennen ze Mirta tegemoet. 'En?' vraagt die als ze hen ziet, 'heeft het gewerkt?'

'Nou!' zegt Wietske, 'en hoe!'

Rik wijst naar de open voordeur: 'Kijk maar!'

'Mooi,' zegt Mirta voldaan, 'hier, houd mijn tas maar even vast.' Ze geeft de tas aan Rik. Hij is zo licht als een veertje.

Mirta stevent met de ballonnentros op nummer 13 af. Rik en Wietske lopen ieder aan een kant, zo trots als twee pauwen. De ballonnen gaan niet door de voordeur. Mirta bindt ze vast aan de vlaggenhouder, die ernaast in de muur zit.
De hele zaterdag blijven ze bij Frieda en Mirta om bloemen en cadeautjes uit te pakken. Ze eten grote stukken taart.
Cleopatra weet niet waar ze het zoeken moet. Ze zit al de hele dag onder de kast en komt er niet onderuit. Nog voor geen tien brokjes appeltaart.

38

Pas tegen vier uur houdt het op. Alleen de buurman komt nog, met een zak goudreinetten.
'Die zijn goed voor je,' zegt hij verlegen. Met zijn vrije hand veegt hij zijn vlassige peper- en zouthaar naar achteren.
Frieda lacht verlegen terug. Haar gezicht krijgt een beetje kleur.
'Eigenlijk is ze helemaal niet zo lelijk, niet als een heks,' denkt Rik.
De buurman denkt dat zeker ook, want hij blijft maar naar haar kijken.
Mirta heeft twee teilen van Frieda met water gevuld en daar-in alle bloemen bij elkaar gezet. Het is een prachtig gezicht.
Als alle pakjes uitgepakt zijn, zit Frieda te stralen tussen doosjes chocola, zeepjes, kaarsjes, zakdoekjes, badschuim, postpapier, een pot drop, een kop en schotel, geurzakjes: te veel om op te noemen. Mevrouw ter Geef heeft haar zonen een prachtige fruitmand laten brengen. Er zit niet één tomaat bij.
'Hier kan ik jaren mee voort,' verzucht Frieda vrolijk.
Mirta zet nog een grote pot honing voor haar neer. 'Hier,'

zegt ze, 'van mijn eigen bijen. Honing en vriendschap maken het leven zoet. Een honingboterham en een vriendelijk woord per dag, dan komt het wel goed!'

'En alles wat vandaag gebeurd is maakt het leven ook zoet,' zegt Frieda dankbaar.

'Blijf je weer lekker lang?' vraagt Rik aan Mirta. Die wijst op haar weekendtas. 'Morgenavond moet ik weer naar huis, ik heb alleen maar mijn tandenborstel meegebracht. En mijn pyjama natuurlijk.'

'Heb jij ook een bloemetjespyjama?' vraagt Wietske.

'Nee, wil je hem zien?'

Mirta trekt haar pyjama uit de tas. Het is een glimmende zwarte, bezaaid met rode, groene, gele en blauwe noppen. De buurman kijkt beschroomd de andere kant uit.

'Oh, wat mooi, zo'n bolletjespyjama!' roept Frieda uit.

Mirta propt de pyjama terug in de tas. 'Vind je hem echt mooi? Dan weet ik het goed gemaakt: volgend jaar krijg jij voor je verjaardag zo'n pyjama.'

'Ik ben in januari jarig,' zegt Wietske brutaal.

'En ik 7 juli,' zegt Rik.

'Dan krijgen jullie ook zo'n pyjama,' zegt Mirta en ritst de tas dicht. 'En als jullie bij mij komen logeren, kun je die mooi aantrekken!'

Rik en Wietske moeten lachen. Ze zien het al voor zich: een bolletjespyjamaparade.

'De bijen zullen het ook gezellig vinden,' zegt Mirta, 'die zijn gek op felle kleurtjes.'

Rik slikt. Hij moet nog eens heel goed nadenken over een logeerpartij bij de bijen...